日本人が「使いすぎる」英語

デイビッド・セイン
David A. Thayne

本当にそう
思ってる？

またその
フレーズか……

社交辞令
なんじゃ

??

JN282554

PHP文庫

○ 本表紙図柄＝ロゼッタ・ストーン(大英博物館蔵)
○ 本表紙デザイン＋紋章＝上田晃郷

はじめに

　はじめまして。デイビッド・セインと申します。25年前に来日して以来、ずっと日本人に英語を教え続けています。

　日本のみなさんはとても努力家。でも、熱心に取り組んでいるのに、「私は英語ができます！」と自信を持って言えるようになる人が、なぜかあまりいません。

　長年英語を教えている中で、その原因の1つに気づきました。それは、「**日本人だけが頻繁に使うお決まりフレーズがあり、そればかりを使ってしまう**ために一歩踏み込んだコミュニケーションがとれないままでいる」ということです。

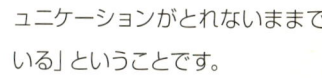

具体的にどんなフレーズかというと、**Thank you very much.**や**You are welcome.** などがそうです。お礼やお礼への返事というと、なぜか毎回、教科書で習ったこの2つのフレーズしか出てこないのです。

もちろん2つとも間違いではありませんし、ネイティブだって使います。ただ、ほかにもいろいろな言い回しがあり、ネイティブはそれを使って豊かな表現をしています。そのため、日本人と接する機会が多いネイティブの中には、**毎回同じフレーズを使う日本人を不思議に思ったり、社交辞令的で心がこもっていないように感じる**人が少なくないのです。

前ページで紹介したようなワンパターンな表現は、「またか」と思われる程度で相手が怒り出すことはないでしょう。でも、「日本人が使いすぎる英語」にはもう1つパターンがあり、こちらはさらに**注意が必要**。

↑このように、何かを勧められたときにNo, thank you. とだけ言うと、相手には**「けっこう」**とそっけなく拒否しているように聞こえてしまうこともあるのです。

　また、時間を聞くときに日本人がよく使うWhat time is it now? という言い方。実はその前に何度か時間を聞いていて、**「で、今は何時？」**と聞くときのフレーズなのです。

　合っているはずなのに、丁寧に言ったはずなのに、ネイティブの反応が思っていたものと違ったときは、こうした「日本人が使いすぎる英語」を使っている可能性が大です。

自信がないからかつて教科書で習った定番フレーズばかりを使う→その定番フレーズではネイティブに意図が伝わらない→苦手意識がぬぐえない、という負のスパイラルに陥っている人が多いように思います。
　「じゃあ、いったいどうすればいいの?」と不安になるかもしれませんが、心配は無用。実は**ネイティブはもっとシンプルな表現を使っている**ことが多いのです。例えば、お礼に対する返答はYou are welcome.→My pleasure.でOK。違う表現を使うことで、ぐっと自然な言い回しになり、ネイティブともスムーズにコミュニケーションがとれるはずです。

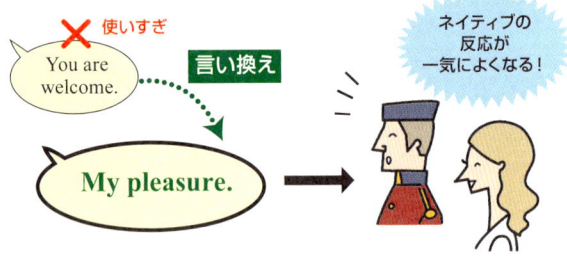

　本書では、私がレッスンの中で気づいた**「日本人が『使いすぎ』なフレーズ」**を200近く挙げ、ネイティブに好感を持たれる「言い換えフレーズ」も併せて紹介しています。実際の会話ですぐに使えるように、「言い換えフレーズ」はなるべく簡単なものを厳選しました。

「言い換えフレーズを新たに覚えるのは大変」と思うかもしれませんが、ご安心ください。本書は**持ち運びがラクな文庫本**ですので、まずは旅行先などに持っていき、これを見ながらフレーズを使ってみましょう。

↑このように言い方に少し変化をつけるだけで、相手の反応はぐっと変わります。気持ちがきちんと伝われば、英語を話すことがどんどん楽しくなるはずです。

最後に、くれぐれも忘れないでほしいのが、**「使いすぎ」は「使わない」よりまし**、ということ。語学上達の最大の秘訣は、失敗を恐れずにたくさん使っていくことですからね。

Don't worry about mistakes—just try!
　　David A. Thayne ＋ エートゥーゼット

日本人が「使いすぎる」英語
CONTENTS

はじめに 3
本書の構成と使い方 10

Part 1 基本会話 ⓴

Part 2 海外旅行

機内・空港・両替	62
乗り物(タクシー・電車・バス)	76
ホテル	84
レストラン	98
ショッピング	123
観光・道を聞く	136
旅先での交流	145

日本国内

ホームパーティー
（外国人の友人宅を訪問・自宅に招待）　154
外国人観光客との会話　170

 ## ビジネス

電話・メール　176
アポイント　184
来客対応　189
職場での会話
（対上司・対部下・対同僚）　194
商談・交渉　212
会議　220

本文イラスト：石村紗貴子

本書の構成と使い方

「使いすぎ」フレーズ

日本人があまりにも頻繁に口にするので、ネイティブは「またか……」と思うフレーズや、言い方によっては違うニュアンスで伝わってしまうフレーズ。

日本人は正しい英語だと思ってよく使うけれど、ネイティブには別の意味に伝わってしまうフレーズ。

なるほど、わかりました。

I see.

解説

上の「使いすぎ」フレーズが、「ネイティブにはどう聞こえているか」「なぜ不評か」といったことを解説しています。

相手の言っていることに対して「なるほど」と納得したとき、I see. はぴったりの表現ですが、連発しすぎると人の話を流しているようにも聞こえてしまいます。ほかのバリエーションを覚えておいて、ワンパターンにならないようにしましょう。

Got it.
(I) Got it. は、相手の発言を「理解した」というときに使います。

「言い換え」フレーズ

ネイティブに好感をもたれるオススメの「言い換え」フレーズを紹介。どれも簡単な表現なので、会話ですぐ使えます。

That makes sense.
make sense で「理にかなう」という意味で、相手の言うことに合点がいったときに使えるフレーズです。

納得したときのあいづち

Yes. 同様、納得したとき、ネイティブがよく使うのが、Uh-huh. というあいづちです。huh のほうにアクセントを置きます。huh の語尾を上げていうと「それで?」と相手の発言をうながすあいづちとしても使えます。また口を閉じて Mm-huh と言うこともあります。

コラム

関連して覚えておくといいフレーズやマメ知識も豊富に紹介しています。

STEP 1	「使いすぎ」フレーズの中で、自分もよく使っているものをチェック。
STEP 2	「解説」を読んで、そのフレーズがネイティブに不評な理由を把握する。
STEP 3	「言い換え」フレーズのどれかを使ってみる。

理解できません。

I can't understand.

相手の言っていることが理解できないときはきちんとその旨を伝える必要があります。ただ、I can't understand. だと「わかりませんね」と嫌悪感を示す感じがして、「そんな言い方しなくても……」と思う人もいるかもしれません。ネイティブはこんなとき、「（人を）途方に暮れさせる」という意味の lost を使って You lost me. と言います。

イチオシ！ You lost me.
「ちょっと混乱しています」というニュアンス。I'm lost. でも OK です。

カジュアル I don't get it.
「理解できない」というときのカジュアルな言い方。

これもOK！ What do you mean?
「どういう意味ですか」という意味。つまり「意図することは？」という意味で、相手からの説明がほしいときに。

Part 1 基本会話 43

インデックス

シーン別のインデックスがついているので、お目当てのフレーズがすぐ見つかります。

アイコン

どんなシチュエーションに適したフレーズなのかが、ひと目でわかります。

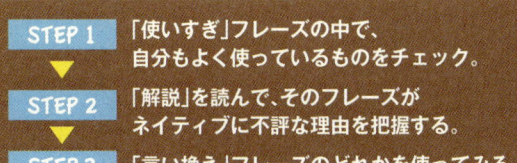

イチオシ！ カジュアル ビジネス
これもOK！ ていねい

※本書使用時の注意

本書で紹介している「日本人が『使いすぎ』なフレーズ」は、会話の状況やイントネーション、話の流れによっては十分通じる場合もあります。また、ネイティブの感じ方も人それぞれですので、失礼に感じる人もいれば、気にならない人もいます。

ただ、せっかくフレーズを覚えるならば、誰に対しても好印象なフレーズを知っておくほうがいいでしょう。よりスムーズにコミュニケーションが取れ、「伝わる喜び」を確実に実感できるからです。

読者のみなさんにぜひ知っておいていただきたいのは、「間違うことは話さないよりもまし」ということ。間違いを恐れて黙ってしまうくらいならば、多少おかしな英語でもいいのでどんどん話してください。明るい話し方、感じのいい表情を意識すれば、相手を激怒させてしまうことはないはずです。
語学は場数を踏むほどものになっていきます。積極的にポジティブな姿勢で臨みましょう。

Part 1
基本会話

ありがとうございます。

 Thank you very much.

もちろんネイティブも Thank you very much. を使うのですが、連発しすぎると機械的に聞こえてしまいます。また、口語では very ではなく so を使ったほうが、ネイティブは気持ちがこもっているイメージを持ちます。

 Thank you so much!
so を強く発音することで、「本当に」のニュアンスが加わり、社交辞令ではないホンネの感謝の気持ちが伝わります。

 Thanks a lot.
道を教えてくれたり、何か便宜を図ってくれた人などに、「どうもありがとう」とお礼を述べるときに。

 Many thanks.
カジュアルに深い感謝を表わすひと言。

 Thanks for everything.
いろいろとお世話になったクライアントに。

どういたしまして。

 You are welcome.

You are welcome. はお礼を言われたときの返事の定番フレーズで、「どういたしまして」の丁寧な言い方ですが、「当たり前のことです」とやや素気ない響きがあります。また、いつも You are welcome. というのはちょっと考え物。お礼を言われるシチュエーションはたくさんありますので、いろいろな言い方を覚えておきましょう。

 My pleasure.
「喜んで」という意味を含む、相手のお礼に対する返事にぴったりの表現です。

 Anytime.
手伝ったお礼を言われたときなどに、「いつでも言って」というニュアンスで。

 Sure. No problem.
「なんてことないですよ」という意味。

今、何時ですか？

 What time is it now?

What time is it now? は確かに時間を聞く表現なのですが、これまでに何度か時間を聞いていて、「で、今は何時？」と親しい相手に聞くときによく使うフレーズです。Do you have the time? であれば、「今何時かわかりますか？」と尋ねる自然な言い方になります。

 Do you have the time?
the time の the を抜かすと、「お時間ありますか？」という意味になりますので、気をつけましょう。

 What time do you have?
相手が携帯や腕時計などを所持していて、明らかに時間を教えてもらえるとわかっているときに。

 Do you know what time it is?
「今何時かわかる？」というニュアンスで、相手に時間がわかるかどうかを聞くときのフレーズ。

お名前は？

 What is your name?

What is your name? は、名前を聞くときの表現で間違いないのですが、自分の名前も名乗らずいきなり相手に聞くのは少し失礼です。まず自分の名前を名乗ってから、and you are 〜？と相手にうながすようにするほうがオススメ。カジュアルなシーンでネイティブは、I'm のあとに自分の名前を続けるシンプルな言い方をします。

> **I'm Akira, and you are 〜?**
> and you are と言いながら、相手を手で示せば、自然と名乗ってくれるはずです。

あなたのお名前は何？

そういうあなたは誰？

私の名前は〜です。

 My name is 〜 .

名乗るときの定番表現と言えば My name is 〜 . ですね。これでも問題はありませんが、カジュアルなシーンにおいてネイティブは、Hi, I'm 〜 . と名乗ることが多いです。また、日本人の名前になじみがない相手には、まずファーストネームだけ伝えてから、再度フルネームを告げると親切です。

 Hi, I'm Taro, Taro Yamada.
Taro のあとにひと呼吸を置いて、再度フルネームで言い直します。

 Hi, I'm Taro, Taro Yamada of ABC.
I'm ○○(名前) of △△(会社名). で「△△社の○○です」という意味になります。会社名も一緒に伝えるときに。

 I'm Takuro Yanagihara, but just call me Taku.
名乗ってから but just call me 〜 で「〜と気軽に呼んでください」という意味。特に名前を略して呼んでもらいたいときに。

ありがとう、でも大丈夫です。

 No, thank you.

相手からの申し出を断るとき、せっかくの好意であれば丁寧に断りたいものですよね。No, thank you. だけだと、言い方によっては、「けっこう！」と冷たく拒否しているように取られてしまう危険があります。Thanks, but no thanks. のように一度お礼を言えば、相手への感謝の気持ちがきちんと伝わります。

 Thanks, but no thanks.
フレンドリーな言い方。感謝の気持ちが伝わり、相手に不快な思いをさせないで済みます。

 No thanks, but thanks for asking.
「聞いてくれてありがとう」という気持ちが伝わります。

 Thanks, but I'll pass this time.
「ありがとう、でも今回はやめておきます」とソフトな断り表現。

Part 1　基本会話　19

ちょっと手伝ってくれる？
(ちょっとしたお願い事)

 Please help me.

Help me. や Please help me. は、本当に困っていて真剣に助けを求めるときに使う言葉です。もしあなたが命の危機にさらされているのであればまさにぴったりの表現ですが、日常のちょっとしたお願い事に使うのは少々おおげさすぎます。こういう場合、ネイティブは Could you help me a little? という言い方をします。Could you ～? は相手に何かを依頼するときのお決まりフレーズです。

 Could you help me a little?
help を使う場合でも、a little をつければ「ちょっとお願い」というニュアンスになり、とても自然な頼み方になります。

 Do me a favor?
favor は「頼み事」という意味。Could you do me a favor? などの略で、「お願いできる？」というニュアンスで使います。

 I need a hand.
hand には「手伝い」「助力」という意味もありますので、「ちょっと手伝って」というニュアンスになります。

申し訳ありません。

 Sorry.

Sorry. は「悪いね」というニュアンスで、親しい人に「おっとごめん」と言うぐらいのときに使います。したがって、何か迷惑をかけてしまった相手にはちょっと軽すぎる言い回しです。sorry の前に程度の大きさを表わす terribly を入れると「本当にごめんなさい」という意味になり、詫びる気持ちがちゃんと伝わります。

 I'm terribly sorry.
レストランで水をこぼしたなど、迷惑をかけたときに。

 I'm so sorry.
so は口語で「とても」という意味でよく使われます。そのあとに続く言葉を強調したいときに使います。

コラム：くしゃみをしたときの謝り方

くしゃみをしたときは、「あ、すみません」という軽いニュアンスの Oh, excuse me. がオススメです。相手の肩に触れてしまったときなどにも使えます。

さようなら。

 Bye-bye.

Bye-bye. は日本語にも定着しているため、別れ際のあいさつとしてよく日本人が口にしますが、実はネイティブにとっては少し古い表現。また、赤ちゃん言葉っぽく聞こえたりもするので、ネイティブはあまり使いません。通常 Bye. のひと言だけです。

 See you.
親しい人同士でよく使われる別れ際のあいさつ。「またね〜」というニュアンス。

 See you then.
「では、そのときに」というニュアンスで、次に会う予定がある相手に対して使います。

 Catch you later.
I'll catch you later. の略で「あとでね〜」という意味の別れ際のあいさつ。実際にそのあとに会う予定がなくても「また近いうちにね」というニュアンスで使います。親しい間柄であれば、さらに略して Later. と言うことも。

気をつけてね。

(別れ際のあいさつ)

 Be careful.

自宅や自国に帰っていく人に対して、日本語では「気をつけてね」と言いますね。この感覚のまま、Be careful. と言ってしまうと、「何か恐ろしいことが待っているから用心してね」という意味になってしまいます。Take care. は「じゃあ、気をつけて帰ってね」という意味で、自然な別れ際のあいさつになります。

> **Take care.**
> ke と ca がつながって「テイケアー」という感じで発声します。

> **Have a safe trip back home.**
> 自国に帰る人に「気をつけて帰ってね」と声をかけるときの定番フレーズ。Have a safe trip. だけであれば、これから旅に出る人に「行ってらっしゃい」という意味で使います。

> **Don't do anything I wouldn't do.**
> 「私だったらしないことを、あなたもしないで」が直訳で、「無茶しないでね」と親しい相手に使います。

日本語を話されますか？

Can you speak Japanese?

Can you speak Japanese? と言ってしまうと、「日本語しゃべれるの？」と能力を尋ねるニュアンスがあり、また、「日本語で話して」というニュアンスにもなるので、失礼と感じる人もいるかもしれません。Do you speak Japanese? であれば、「日本語を話されますか？」とあたりさわりのない言い方になります。

イチオシ! Do you speak Japanese?
Do you ~? で「~しますか？」と尋ねるときのフレーズ。

カジュアル Do you happen to speak Japanese?
happen to が入ることで「ひょっとして」というニュアンスが加わり、「ひょっとして日本語を話されたりします？」とフレンドリーに聞くことができます。

これもOK Did you learn any Japanese words?
相手が日本にちょっとでも行ったことのある人であれば、「日本語は何か習いましたか？」という意味で使えます。

おいしい！

Delicious!

外国人宅のパーティーなどで手料理を振る舞ってもらったとき、どの料理に対しても Delicious! ではちょっと申し訳ないもの。海外のレストランでも、店員さんの中にはお皿を下げるたびに感想を聞いてくる人もいます。料理の感想をバリエーション豊かに伝えたいものです。

イチオシ！ This chicken is fantastic!
~ is fantastic! で「~は最高！」と何かをほめるときのフレーズです。具体的に This chicken is fantastic! などと言うと、その料理がとても気に入ったことが伝わります。

これもOK It tastes great!
「おいしいです！」と言うときのひと言。It looks great. にすれば、運ばれてきた料理がおいしそうなことを伝えるときに使えます。It's great! だけでも OK。

これもOK This is the best chicken I've ever had.
「これまで食べた○○ (料理名) の中で一番おいしい」と感動を伝えるときの表現。少しオーバーなくらいでもネイティブにはちょうどよく伝わります。

お手洗いを借りてもいいですか？

Can I borrow the toilet?

お呼ばれした家などでトイレに行きたくなったとき、日本語では「お手洗いをお借りしてもいいですか？」と言いますが、そのまま英語にするとネイティブにはピンと来ません。borrow はペンや電話といった比較的持ち歩きができるものに関して使う単語だからです。親しい人には使うこともありますが、通常トイレの場合は use を使います。ちなみに、アメリカでは toilet には「便所」というニュアンスがあります。

 Could I use your bathroom?
Could I ～? は「～してもいいですか？」と相手に許可を求めるときの定番フレーズです。

 Where's the bathroom?
切り出す前に Um…とちょっと前置きすると、相手もすぐに察してくれるでしょう。公共の場では restrooms（通常複数形）を使い、個人宅では bathroom が一般的です。

 Do you mind if I use the bathroom?
友人宅などで「使ってもいいですか？」と許可を求めるときの言い方です。

おいくらですか？

How much?

How much? を「いくらですか？」と値段を聞くときに使う人が多いようですが、ネイティブは「どれくらい？」と量や程度に使うことがほとんどで、あまり値段を聞くときには使いません。How much is it? や How much are they? であればいいのですが、シチュエーション別の適切な言い方も覚えておきましょう（下のコラム参照）。そうすれば、会話がさらにスムーズになるはずです。

シチュエーション別・値段の聞き方

●タクシーで→ **What's the fare?**
fare はタクシーや列車などの交通機関の料金のことです。

●洋服店で→ **What's the total?**
「全部でいくらになりますか」と、複数のものを購入し、合計金額を聞くときに使います。

●レストランで→ **What's the damage?**
少し高くつきそうなときに、ユーモアをこめて使います。

●ビジネスで→ **How much does it cost?**
cost は「費用」。取引先などに費用がどれくらいかかるかを聞くときに使えます。

こんにちは、ごきげんいかがですか？

 Hello, how are you?

Hello, how are you? は、人と出会ったときに相手の調子を聞くひと言です。毎回同じフレーズを言うのではなく、たまには違うバリエーションも使ってみましょう。ちなみに、相手が Hello, と言ってきたら Hi, と返し、相手が Hi, と言ってきたら Hello, と返します。オウム返しにならないように注意しましょう。

 Hi, how's it going?
同じ意味ですが少しカジュアルで親しみのある表現に。

 How have you been?
「最近いかがですか？」という意味で、カジュアルにもビジネスにも使えます。

 What's up?
「最近どう？」というニュアンス。親しい相手に「なんか変わったことある？」と近況を聞くときは What's new?。

 How's business?
仕事関係の人に会ったとき、仕事の調子がうまくいっているかどうかを聞くときのフレーズです。

元気です！

(How are you?への返事)

I'm fine.

I'm fine. はあいさつなどで調子を聞かれて、「調子がいい」と答えるときの定番フレーズ。ただし、fine には「可」という意味がありますので、感覚的には「まあ、いいかな」というぐらいのニュアンスです。気分が「とてもいい！」と言いたいときは、Pretty good. や Great! などがよく使われます。

Pretty good. / Great! You?
相手に調子を聞くことも忘れずに。You? だけでも「あなたは？」と相手を気遣うひと言になります。

Quite well.
「とても元気です」という意味。特に女性がよく使う丁寧な表現です。

Couldn't be better.
「これ以上よくはならない」、つまり、「最高だよ」「絶好調だよ」といった意味。最悪な場合は better を worse に変えるだけで OK。

うそ！

 Oh my god!

驚いたときに思わず出るフレーズと言えば、Oh my god! かもしれませんが、実はネイティブの中には人前でむやみに神の名を口にすることをはばかる人もいます。そのため、god の代わりに gosh や goodness といった婉曲表現を使います。女性では Oh my! とだけ言う人も。

 Oh my gosh!
意味は Oh my god! と同じで、驚いたときに思わずもらすひと言。gosh は「**ガーシ**」と発音します。ガを強く発音するのがポイントです。

 No way!
信じられないようなことが起きたとき、「ありえない！」という意味でネイティブがよく使う表現。

 Unbelievable!
信じられないようなことが起きたときに発するひと言。

何？

What?

相手の言っていることが理解できず、思わず「え？」「何？」と聞き返すとき、そのまま What? を言ってしまうと、ネイティブには「はぁ？」というイメージで伝わってしまいます。このようなときはひと言、Sorry? と語尾を上げて言えば OK です。「ごめんなさい、聞こえなかった。何？」という感じです。

Sorry?
自分と相手の声がかぶってしまって、「ごめん、何？」とカジュアルに聞くときなどに。

Excuse me?
Sorry? と同じニュアンスで、「すみません、なんでしょう？」という意味でよく使います。

なんて言ったの?

(親しい相手に)

 (I beg your) Pardon?

Pardon? は、相手の言ったことが聞こえず、「何とおっしゃいましたか?」と聞き返すときの丁寧な言い方です。決して間違いではありませんが、仲の良い相手に使うとちょっと堅苦しすぎるのも事実。Come again?(もう一度いい?)といった、よりカジュアルなフレーズも覚えておきましょう。

 Come again?
疑問符がないと「また来てね」という意味ですが、語尾を上げると「もう一度いい?」という意味になります。

 You said what?
「なんと言いましたか?」と聞き逃したことを聞くときのフレーズです。

 What's that? / What was that?
「え? 何?」というニュアンスで、相手の言うことが聞き取れなかったときのひと言。

(すみませんが)
もう一度お願いします。

 Please say that again.

Please say that again. は単に「もう一度言ってください」と言っているだけで、あまり申し訳ないという気持ちがこもっていません。当たり前ですが、何かお願いするときは丁寧な言い方をしましょう。Could you repeat that?（もう一度繰り返していただけますか？）なら、丁寧なお願いの仕方になります。

 イチオシ！ **Could you repeat that?**
Could you 〜 ? は、「〜していただけますか？」と相手に何かを依頼するときの定番表現です。

 カジュアル **Once more for me?**
for me を加えると、「あなたの言い方が悪いのではなくて、私の英語力不足のせいで」というニュアンスに。

 ていねい **Could I get you to repeat that?**
「もう一度繰り返してもらうことはできますか？」と、こちらも丁寧な依頼表現です。

もう少しゆっくり話してください。

 Please speak more slowly.

Please speak more slowly. だと「もっとゆっくり話せませんか？」と少し相手を責めてしまうようなニュアンスが伴います。for me「私のために」を付け加えることで、聞き取れない自分に非がある、というニュアンスになり、ぐっとやわらかい言い方になります。

 Could you slow down for me?
slow down は「速度を落とす」。

 Could you speak a little slower for me?
a little を付け加えると「少しだけゆっくり」という意味になり、ソフトな言い方になります。もう少し大きい声で話してほしいときは、slower を louder に。

 Sorry. I can't keep up.
「ごめんなさい。ついていけていません」という意味。これも「自分側に非がある」というニュアンスで好感の持てるフレーズです。

お先にどうぞ。

（女性にドアを開けて）

Ladies first.

日本語でもおなじみのレディファーストですが、Ladies first. と言って道を譲るネイティブはいません。たいてい After you. と言います。直訳では「あなたのあとに（続きます）」という意味で、エレベーターや入店するときの順番を人に譲るときなどに使う定番フレーズです。

イチオシ！ After you.
手で「どうぞ」というジェスチャーをして、笑顔で譲ればとても自然です。

これもOK！ Please go ahead.
go ahead は「先へ進む」という意味ですが、「どうぞ」と相手の行動をうながすときにも使います。

Go ahead. は使い勝手抜群！

- 相手から「〜していいか？」と許可を求められて認めるとき
- お互い同時に話しはじめてしまい、相手に発言を譲るとき
- バス、電車の席を譲るとき

など、Go ahead. はいろいろな場面で使えるとても便利なフレーズです。ただし、無表情に言ってしまうと「勝手にしろ」というニュアンスになってしまうので、あくまでもソフトに言うことを心がけましょう。

はじめまして。

How do you do?

諸説ありますが、How do you do? の「do」にはもともと「元気」という意味があるため、「お元気ですか?」と初対面のあいさつとして使われるようになったようです。ただ、初対面であれば、会えた喜びなどが含まれた表現を使ったほうがより親しみを持てます。

イチオシ! I'm so happy to meet you.
「幸せ」という意味の happy を使うと、あなたの嬉しい気持ちが相手により伝わります。

カジュアル Mike! Great to see you.
Great to see you. は、It's a great pleasure to see you. などの略で、カジュアルな言い方。メールなどですでに知っている人であれば、最初に名前を呼ぶと Good!

おやすみなさい。

Good night.

1日の終わりにかける言葉、「おやすみなさい」にも実はバリエーションがたくさんあります。ネイティブがよく使うのが、Sleep tight. という表現。語源は諸説ありますが、「(ロープでできた昔の) ベッドが緩まないように、きつく (tight) しばって寝ましょう」というフレーズが、寝るときの定番表現として定着したようです。

イチオシ！ Sleep tight.
tight の代わりに well でも同じ意味になります。

カジュアル Sweet dreams.
sweet には「甘い」のほかに「よい、楽しい」といったポジティブな意味合いもあるので、「楽しい夢をね」というニュアンスで親しい人に使います。Sweetest dreams. とも。

ちょっと面白いおやすみの表現

Nighty-night./Sleep well. など、ほかにもおやすみの表現はたくさんあります。仲のいい人や子供によく使うのが、Don't let the bed bugs bite. という表現。「ベッドにいる虫にかまれないように」が直訳。「虫にかまれることなく、ぐっすり寝てね」という意味です。メールなどで使うときは DLTBBB などと表わします。

まあまあ。

So-so.

調子を聞かれて「可もなく不可もなく」と言うとき、So-so. と答える日本人が多いのですが、ネイティブの感覚では「実は最悪だけど、そう言うのも気が引ける」というようなときに使う言葉です。そのため、言われたほうは What's the matter?（どうしたの？）と思わず聞き返したくなります。

イチオシ！ Not bad.
「変わりなく順調」と言うときは、Not bad. と答えるのが無難です。

これもOK! Same as usual.
usual は「いつもの」という意味ですので、「いつも通り」「あいかわらず」という意味。

これもOK! Nothing special.
What's up?（P.30 参照）などと近況を聞かれたときの定番の返事。Not much. も同じニュアンスで使えます。

(あいづち)

Yes, yes…

あいづちとして Yes. を連発する人がいますが、ネイティブには「はい、はい、はい」と早く話を終えたがっているような印象を与えてしまうので、避けたほうが無難です。Oh, yeah. は「そうですね」と上品で印象のいいあいづちになります。同じ言葉を連発するのではなく、たまに違う言い方をはさんで、くどくならないようにしましょう。

イチオシ！ Oh, yeah.
オゥ、イェアと、オとイの部分にアクセントを置きます。

これもOK Right.
ゥラーイ(ト)と、ちょっと伸ばし気味に言うのがコツです。

これもOK Yeah, right.
「その通りですね」と肯定を表わす定番のあいづちです。

なるほど、わかりました。

I see.

相手の言っていることに対して「なるほど」と納得したとき、I see. はぴったりの表現ですが、連発しすぎると人の話を流しているようにも聞こえてしまいます。ほかのバリエーションを覚えておいて、ワンパターンにならないようにしましょう。

イチオシ! Got it.
(I) Got it. は、相手の発言を「理解した」というときに使います。

これもOK! That makes sense.
make sense で「理にかなう」という意味で、相手の言うことに合点がいったときに使えるフレーズです。

納得したときのあいづち

Yes. 同様、納得したとき、ネイティブがよく使うのが、Uh-huh. というあいづちです。huh のほうにアクセントを置きます。huh の語尾を上げていうと「それで?」と相手の発言をうながすあいづちとしても使えます。また口を閉じて Mm-huh. と言うこともあります。

理解できません。

I can't understand.

相手の言っていることが理解できないときはきちんとその旨を伝える必要があります。ただ、I can't understand. だと「わかりませんね」と嫌悪感を示す感じがして、「そんな言い方しなくても……」と思う人もいるかもしれません。ネイティブはこんなとき、「（人を）途方に暮れさせる」という意味の lost を使って You lost me. と言います。

イチオシ！ You lost me.
「ちょっと混乱しています」というニュアンス。I'm lost. でも OK です。

カジュアル I don't get it.
「理解できない」というときのカジュアルな言い方。

これもOK What do you mean?
「どういう意味ですか」という意味。つまり「意図することは？」という意味で、相手からの説明がほしいときに。

いい考えですね！

Good idea!

よい思いつきを言った相手に対して、「いい考えだね！」と言いたいとき、日本人はよく Good idea! と言います。ネイティブもよく使うフレーズですが、いつもこの言い方だと、「本当にいいと思っているのかな？」と疑われてしまうかもしれません。「その案を気に入っている」ということを表わすフレーズは、ほかにもいくつか覚えておきたいものですね。

イチオシ！ Good thinking!
idea がちょっとしたひらめき、というニュアンスであるのに対し、thinking はもう少し時間をかけて出した考え、というイメージです。また Good のかわりに Great を使ってもOK!

これもOK! Sounds like a plan!
「いいプランだね」と言うときの決まり文句。plan はカジュアルなものからビジネスまで幅広く使えます。

これもOK! That's a good point!
相手の意見や提案に同意するときのフレーズ。「いいところついてるね」というニュアンス。

その通りですね。

That's right.

right は正しいという意味ですので、That's right. は相手の話に同意するときに使える定番フレーズです。ただ、強く同意したいときなどには、ほかの言い方も使えたほうがいいでしょう。たとえば、You got that right. は、「まったくその通り！」と相手の言ったことに感心したという気持ちが伝わります。

イチオシ！ You got it.
「その通り」と言うときの定番表現。お店やビジネスなどで頼み事をされて「かしこまりました」と言うときにも使います。

これもOK! You got that right.
「まったくその通り！」。Right you are. も同じ意味でネイティブがよく使うフレーズです。

これもOK! You said it.
「よくぞ言ってくれた！」というニュアンスで相手に賛成するときに。ポジティブな内容にもネガティブな内容にも使えるひと言。

本当？

Really?

Really?は、相手の話を聞いて「本当？」とちょっと驚いたときに使う表現です。あまり連発すると、「私の言うことを信じてもらえないのかな？」と思われる可能性もあるので、たまには別の言い方もしてみましょう。

イチオシ！ Is that so?
「それ本当なの？」と軽い驚きを伴うニュアンスで使います。

これもOK！ Are you serious?
「それ本気？」と相手の言っていることを問いただすときに。

カジュアル I had no idea.
初めて耳にした情報に対して、「へぇ、知らなかった」というニュアンスで使います。

それは残念でした。

Too bad.

Too bad. は That's too bad. の略で「お気の毒に」という意味で使う表現なのですが、**トゥー バーッ（ド）**と頭にアクセントを強く置きすぎてしまうと、「いい気味！」と言っているようにも取られてしまいますので、注意が必要です。相手をいたわる気持ちを伝えたいときは、残念そうに That's too bad. と言うようにしましょう。

イチオシ！ That's too bad.
頭に Oh, などとワンクッション置くと、さらにネイティブらしい言い方になります。

これもOK! I know the feeling.
相手のネガティブな経験に同情を示すときの表現。カジュアルな言い方では I を省略することも。

カジュアル Poor thing.
poor は「かわいそうな」「気の毒な」という意味。You are poor. だと「あなたは貧乏」という意味になってしまうので要注意。

Part 1　基本会話　47

タバコを吸ってもいいですか？

May I smoke?

May I ~? は、人にお願い事をするときの表現ですが、「～させていただいてもよろしいでしょうか？」とかなりへりくだった言い方になります。もう少しフレンドリーに言いたいときは、Mind if I ~? というフレーズがオススメ。Do you mind if I ~?（～してもかまいませんか？）を省略した言い方です。Mind if I open the window/join you/have a drink?（窓を開けても／参加しても／飲んでもいい？）などと使い回せます。

イチオシ！ Mind if I smoke?
カジュアルな言い方なので、吸ってほしくない人も素直に「吸わないで」と言いやすくなります。

これもOK Is it all right to smoke?
Is it all right to ~? も相手に許可を求めるときの定番フレーズ。to 以下に許可してほしいことを続ければ OK です。

ていねい Would it be okay if I smoked here?
Would it be okay if I ~? は「～をしてもよろしいでしょうか？」と丁寧に問うときの表現です。I のあとの動詞は過去形に。

お久しぶりです。

Long time no see.

Long time no see. は久しぶりに会った人に対して使うお決まりフレーズです。ただ、くだけた言い方で一時期かなり使われ、今は少し使い古された感があり、感情もあまりこもっていないように聞こえます。オススメの言い換え表現は It's been a while.。ネイティブが気軽に使うフレーズです。

イチオシ！ It's been a while.
a while は「しばらくの間」という意味がありますので、「しばらくぶりだね」というニュアンスになります。

これもOK! How have you been?
「元気にしてた？」という意味で、相手がどう過ごしていたかを聞くひと言。

カジュアル Hey there, stranger.
stranger は「見知らぬ人」という意味で、ご無沙汰している人をからかったカジュアルな表現。

Part 1 基本会話　49

お酒を飲めないんです。

I can't drink.

パーティーなどで、アルコールを勧められたとき、無理に飲む必要はもちろんありませんが、断り方は工夫したいものです。I can't drink. でもいいのですが、なんらかの事情で飲めない（運転など）という感じがします。I don't really drink. だと「お酒があまり強くないんです」という意味ですので、それ以上勧める人はいないでしょう。

イチオシ I don't really drink.
「あまり飲むほうではありません」というニュアンスになります。

カジュアル Just a coke is fine for me.
「コーラで大丈夫です」ということで、「お酒は飲まない」という意思が伝わります。くだけた言い方です。I'll just have a soft drink. などと言ってもいいでしょう。

これもOK I have to work, so I'd better not drink.
「仕事がある」などと最初に理由を述べてもいいでしょう。I'd better not ～. で「～しないほうがいい」。

何か食べたいな。

I'm hungry.

おなかがすいて何か食べたくなったときの定番表現と言えばI'm hungry.ですが、これは「おなかすいた〜」と欲求をストレートに表わすときの言い方です。「何か食べたい気分」というニュアンスを伝えたいときは、feel like 〜 ing（〜したい気分）という表現を使って、I feel like eating.と言えばOKです。

イチオシ！ I feel like eating.
I feel like a beer.（ビールが飲みたい気分）のように、feel likeの後に食べ物や飲み物などを入れてもOK。

カジュアル I'm starving.
starveは「餓える」という意味。I'm starving.で「おなかペコペコ」というときのカジュアルなフレーズになります。

これもOK I've got the munchies.
これも「おなかがすいてきた」というときのカジュアルな言い方。munchies（空腹感）はマンチーズと発音します。

いいですね（了解しました）。

Okay.

相手の提案を承諾するとき、日本語にもなじんでいる Okay. をいつも使ってしまうのでは？ Say no more.（直訳「それ以上言わないで」）は、相手からの依頼や提案などの説明を受けているときに「いいですね（了解しました）」という意味のカジュアルなフレーズです。

イチオシ！ Say no more.
快諾するときのひと言。

これもOK！ Sounds good.
「いいねぇ」というニュアンスでポジティブに相手に同意するときに。

これもOK！ I like that.
「それはいいですね」と、相手の提案などを気に入っているという気持ちが伝わります。

もちろんいいですよ。

Of course.

相手から許可などを求められ、「もちろんいいですよ」と快諾するときに日本人は Of course. とよく言います。間違いではありませんが、毎回同じ言い方にならないようにいくつか別のパターンを覚えておきましょう。Sure thing. は相手から許可を求められたときなどに「もちろんどうぞ」と答えるカジュアルな表現です。

イチオシ！ Sure thing.
「もちろん」というニュアンスで。Sure. だけよりもカジュアルなニュアンスになります。

これもOK！ Go ahead.
「話し続けてもいい?」「このお菓子食べていい?」などと許可を求められたときに、「どうぞ」というニュアンスで使います。道を譲るときにも使って OK。

ていねい With pleasure.
pleasure は「喜び」という意味ですので、相手からの申し出に「ぜひ」と応じるときの表現です。

気にしないでね。

Don't mind.

日本語の「ドンマイ」は実は和製英語で、相手を励ますときは Never mind. がよく使われます。Don't mind. は本来、「今日友達も一緒に連れてっていい？」などと聞かれたときに、I don't mind.（僕はかまわないよ）のように使います。相手に謝られて「気にしないで」と言いたいときは、It's no biggie. という言い方をよく使います。

イチオシ！ It's no biggie.
biggie は「巨大なもの」という意味ですので、no biggie で「大したことない」という意味。

カジュアル Never mind.
日本語の「ドンマイ」と同じようなニュアンスで「気にしないで」という意味で使います。

これもOK Don't sweat it.
「心配いりません」というニュアンス。sweat は「汗をかく」から転じて「心配する」という意味。

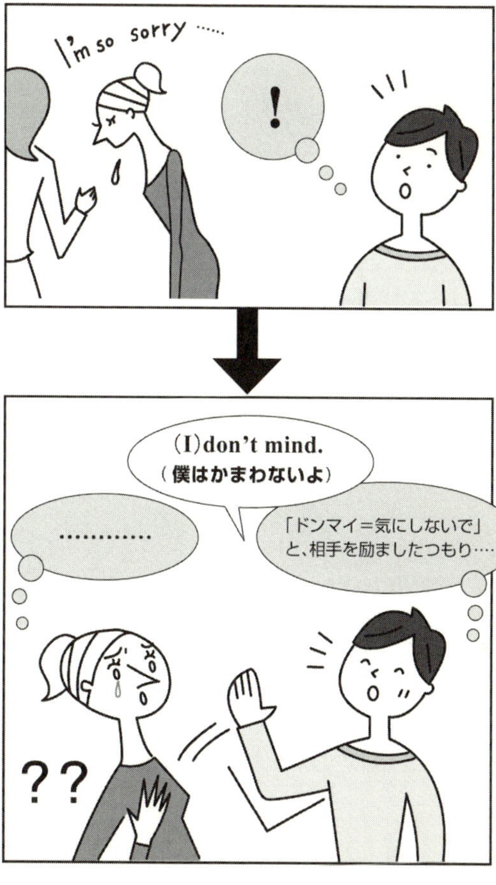
I'm so sorry ……
!
(I)don't mind.
(僕はかまわないよ)
…………
「ドンマイ＝気にしないで」
と、相手を励ましたつもり……
??

電話をください。

Please call me.

相手から電話をもらいたいとき、日本語でもただ「電話をください」ではなく、「時間があるときに電話してください」などと言いますよね。その感覚でネイティブが使うフレーズが Give me a call when you have time. です。相手のことを気遣った大人の言い方です。

イチオシ！ Give me a call when you have time.
when you have time で「時間のあるときに」「手が空いたときに」という意味。

これもOK! Let's talk on the phone.
talk on the phone で「電話で話す」。

カジュアル Give me a ring sometime.
ring は「電話を鳴らす」という意味。give ~ a ring で「~に電話する」という意味のカジュアルなフレーズです。

なぜですか？

Why?

理由を聞くとき、Why? でも十分通じますが、「なんで？」というニュアンスで親しい人に対して使う言葉です。もう少し丁寧な言い方に Why's that? というフレーズがありますので、理由を尋ねるときはこちらの言い回しがオススメです。

イチオシ！ Why's that?
「それはどうしてですか？」というニュアンス。

これもOK! Could you give me the background for that?
background は「背景（背後の事情）」の意。なぜそうなったのか、説明を求める表現です。

カジュアル How come?
「どうしてそうなるの？」と経緯や理由を尋ねるときに使います。

（うっかり）忘れてしまいました。

I forgot about it.

「覚えていたはずなのに、うっかりしてしまいまして」と言うときには、ネイティブなら、It slipped my mind. という言い方をするのが普通です。〜 slip someone's mind で、「〜をうっかり忘れる」という意味。I forgot about it. だと「うっかり」という軽いニュアンスではなくなります。

イチオシ！ It slipped my mind.
度忘れしてしまったときに使うフレーズです。

これもOK！ Oh, let me think.
Let me think about it. の略で、即答できないときやすぐに思い出せないときのひと言。

これもOK！ It's on the tip of my tongue.
舌の先まで出ている、つまり「喉まで出かかっているんだけど」という意味で使えます。

おいくつですか？

How old are you?

日本では同性であれば気軽に「おいくつですか？」と初対面でも聞くことがあるかもしれませんが、ネイティブはどんな場面でも初対面で年齢をストレートに聞くことはあまりしません。話の流れで聞く機会があれば、という感覚です。その場合、まず自分の年齢を先に伝えれば、相手も差支えがなければ教えてくれるでしょう。

イチオシ！ I'm 37-years old.
相手の年齢だけ聞くのはマナー違反。自分の年齢をまず先に伝えれば、抵抗のない人なら自然に続けて答えてくれるはずです。

カジュアル You must be around 30, right?
around ～で「～歳前後」という意味。若めに言いましょう。

これもOK Are you in your 20s?
in ～s で「～代」という意味になります。これも若めに言うのがポイントです。

Part 1 基本会話

ジョニー・デップのファンです。

I'm Johnny Depp's fan.

「〜のファンです」と言うとき、日本人は I'm 〜's fan. とよく言いますが、この言い方だと「たった1人のファン」と言っているように聞こえます。大好きな人であれば感情を込めた言い方をいくつか覚えておきましょう。

イチオシ！ I'm a huge fan of Johnny Depp.
huge は「巨大な」「大量の」という意味があり、a huge fan of 〜で「〜の大ファンです」という意味になります。

これもOK! All I can think about is Johnny Depp.
直訳は「私が考えられるすべては〜のことです」。つまり「〜のことしか考えられない」という意味で「〜に夢中だ」ということを表わします。

これもOK! I see every Johnny Depp movie.
お気に入りの俳優の出演映画は全部観る、という意味。I buy every 〜 album. というように、いろいろと応用して使えます。

Part 2
海外旅行

機内・空港・両替	P.62
乗り物 (タクシー・電車・バス)	P.76
ホテル	P.84
レストラン	P.98
ショッピング	P.123
観光・道を聞く	P.136
旅先での交流	P.145

魚料理でお願いします。
(機内食で魚か肉かを聞かれたときに)

Fish, please.

Fish, please. で間違いではありませんし、十分に通じますが、「魚ちょうだい」とちょっとカジュアルすぎる響きがあります。同じくらい簡単な言い方で、相手にもよい印象を与える言い回しがありますので、どうせならイメージがよいほうを覚えて使いましょう。

イチオシ! I'd like fish.
「〜をください」は I'd like 〜. で OK。物事を丁寧に頼むときの定番フレーズで、like のあとにほしいものを入れるだけです。

これもOK! Fish sounds good.
〜 sounds good. は「〜がいいです」と自分の希望を伝えるときのフレンドリーな言い方です。

どんな飲み物がありますか?

What drinks can I have?

キャビンアテンダントから What drinks would you like?(お飲み物はどうされますか?)と聞かれて、こちらから「何がありますか?」と聞き返すときは、シンプルに What do you have? で OK です。使いすぎフレーズのように可能性を表わす can を使うと、「自分が飲める飲み物はどれですか?」という意味にもとれるので、まるで食事制限をしているかのように聞こえてしまいます。

イチオシ! What do you have?
What kinds of drinks do you have? の略。kind は「種類」という意味ですので、kinds of ~ で「~の種類」という意味。

私が飲める飲み物はどれですか?
(食事制限をしています)

Part 2 海外旅行

ビールをください。

Give me beer.

Give me beer. だと「ビール持ってきて」、という感じで、身内以外には少し乱暴なニュアンスになります。Beer would be great. の would は仮定法で、「ビールをもらえたらとても嬉しいな」という意味に。great のほかに nice, wonderful, excellent, fantastic など、ネイティブはちょっと大げさに表現します。

イチオシ！ Beer for me.
シンプルなビールの頼み方。「私にはビール（＝私はビールをいただく）」というように使います。ほかの人の分も注文する場合は Beer for him and red wine for me. のように。

これもOK! Beer would be great.
「ビールをもらえたら嬉しいです」と丁寧でフレンドリーな言い方。

紅茶をください。

Tea, please.

Tea, please. でも問題ありませんが、「紅茶くれ」「紅茶ね」という感じで、少し乱暴に取られる可能性もあります。I think I'll have ~. は「~にしようかな」と丁寧な注文の仕方になります。日本語に訳すとあいまいな言い方にも思えますが、英語ではソフトで物腰やわらかな言い方になります。

> **イチオシ！ I think I'll have tea.**
> I think I'll ~で「~しようかな」「~にしようと思います」とワンクッション置いたような言い方になります。

> **これもOK！ Maybe I'll have tea.**
> I think の代わりに、Maybe/Perhaps でもソフトな頼み方になります。

コーヒーのお代わりを もらえますか？

I want more coffee.

I want more coffee. も丁寧に言うならまったく問題はありませんが、言い方に気をつけないと「もっとコーヒーがほしいんだ！」というニュアンスに聞こえる恐れが。More coffee? は一見丁寧には見えませんが、笑顔で言うと「お代わりもらえます？」というフレンドリーな言い方になるのでオススメです。

イチオシ More coffee?
カップを手に取って笑顔で言えば、とてもフレンドリーな頼み方になります。

カジュアル Could I get a refill?
Could I get you to bring me a refill? などを略した言い方で、「やっていただけると助かる」のような響きになります。refill は「お代わり」のこと。

ていねい Could I have a refill when you have a minute?
「忙しくないときに」という意味も加わりより丁寧。when you have a minute の代わりに when you come by again にすると「次に来るときに」という意味に。

枕をください。
（「何かお持ちしましょうか？」と聞かれて）

I want one more pillow.

I want one more pillow. は、「枕ちょうだい」とちょっと子供っぽい言い方です。親しい相手になら問題ありませんが、キャビンアテンダントに使うと少しぶっきらぼうに聞こえることがありますので、下の Maybe を使った言い方を覚えておきましょう。

イチオシ！ Maybe another pillow.
語尾を上げて、笑顔で頼みましょう。Maybe は Maybe you could ～の略で、ソフトな依頼になります。ちなみにネイティブは、「もう一つ」は one more よりも another と言います。

ていねい Maybe you could bring me another pillow.
上のイチオシフレーズをより丁寧にした言い方。

カジュアル Another pillow would be nice.
nice の代わりに great や a big help でも OK です。

椅子を倒してもいいですか？

Can I recline my seat?

Can I recline my seat? は、キャビンアテンダントに「今、椅子を倒しても大丈夫ですか？」と聞くときに使うフレーズです。自分の後ろに座っている人に椅子を倒してもいいか聞くときは、May I put my seat back? という丁寧な頼み方がオススメです。

> **イチオシ May I put my seat back?**
> May I ～? は相手の判断に任せるときなど、遠慮がちにものを頼むときに使います。

> **ていねい Do you mind if I put my seat back?**
> Do you mind if I ～? は「～してもかまいませんか？」と丁寧に尋ねるときのお決まりフレーズ。

どうぞ。

Yes.

飛行機の中で窓際の人から「通して」などと言われたとき、Yes. とだけ言うと、「はい（わかったよ／仕方がないな）」という含みがあるように聞こえて、快く通してあげる感じではありません。Yep. は「あ、いいですよ」「もちろんどうぞ」といったフレンドリーな言い方で、相手が悪く取ることはありません。

イチオシ！ Yep.
「イェップ」と発音します。軽い感じで言うのがポイントです。フォーマルな場面や深刻な場面には向きませんが、カジュアルなシーンでは問題なく使えます。

カジュアル Sure.
日本語の「もちろん」「いいよ」。これも悪く取られることはありません。

これもOK！ No problem.
または No problem at all. もよく使います。申し訳なさそうにしている相手に。

どちらへ？

(隣の席の人に)

Where are you going?

機内でたまたま隣になった人とちょっとした雑談をするとき、行き先はいい話題になります。ただ、Where are you going? だと「詳しい行き先を教えて」という感じで、答えに困る人もいるかも。「どちら方面？」というニュアンスで What direction are you headed? と聞けば、相手も自分の答えたい範囲で答えられるので◎。

イチオシ！ What direction are you headed?
「どちらの方面へ？」とあいまいに聞こえるので、初対面の相手にはオススメ。

これもOK Where are you headed?
同様にあいまいに聞こえるので、聞かれた相手も答えやすい。

カジュアル (You're) Going to Seattle?
質問調で語尾を上げて言うと、「ぜひとも知りたい」というよりも「会話のネタに」という感じになります。

窓際の席でお願いします。
（「お席のご希望は？」と聞かれて）

A window seat, please.

聞いてもらいたいお願いがあるときは控えめに頼むのが◎。〜, please. はカジュアルですが、やってもらうことを前提として話しているようで、飛行機の席などの希望を伝えるには語気が少し強いかもしれません。if possible（可能であれば）を加えると、より「できればお願い」というニュアンスが加わり好印象です。

イチオシ！ (I'd like) A window seat, if possible.
「できたら窓側の席を」と丁寧な依頼になります。

カジュアル A window seat?
質問っぽく語尾を上げると、「窓側はどうでしょう？」というニュアンスでフレンドリーな依頼表現になります。

ていねい A window seat would be great.
「〜なら嬉しい」と上品な言い方になります。

もっと早い便を予約してください。

Isn't there a faster flight?

fastはたいてい速度を表わすので、fast flightだと「速い便」に聞こえます。また、Isn't there ～? だと、「～はないの？」とちょっといらだっているような言い方になります。何かとお願い事が多い旅行では、I'd like to ask you to ～. (～をお願いしたいのですが) という言い回しを覚えておくと便利。低姿勢で、慎み深い印象を相手に与えます。

イチオシ！ I'd like to ask you to book me an earlier flight.
「もっと早い便の予約をお願いしたいのですが」と丁寧な頼み方に。

カジュアル That's the earliest?
「これが一番早いですか？」とシンプルに聞くことで、もっと早い便を探してくれるはずです。

これもOK! An earlier flight would be best.
「もしもっと早い便があれば、嬉しいです」と押しつけがましくない印象です。

観光です。

(「入国の目的は?」と聞かれて)

Sightseeing.

空港の入国審査でまず聞かれるのが、What's the purpose of your visit? (滞在の目的はなんですか?) です。Sightseeing. だけでも問題はありませんが、頭に Just をつけるだけで、少しこなれた感じがします。その国での滞在をスムーズにスタートするためにも、ぜひ使ってみましょう。

イチオシ！ Just sightseeing.
観光のためだけに来た場合はこの言い方で OK です。

ビジネス I'm here on business.
I'm here 〜. で「〜のために来ました」という意味。on business (仕事が目的)、for sightseeing (観光目的)

これもOK I'm visiting friends.
「友人を訪ねる」は、visit friends もしくは visit my friend。

円をドルに替えていただけますか？

Please change yen into dollars.

上のフレーズは間違いではないものの、誰が何をするのかがあいまいなので、ネイティブは使いません。両替で間違ってはいけないので丁寧な言い方で伝えたい気持ちはわかりますが、シンプルな言い方のほうがかえって誤解を防げます。Yen for dollars, please.（円をドルに替えてください）というカジュアルな言い方がオススメです。

イチオシ！ Yen for dollars, please.
Could you exchange yen for dollars? などを省略した形です。

カジュアル I have 50,000 yen.
入国先の空港内の両替所であれば、これだけで十分通じるはずです。

これもOK! I'd like to buy dollars with yen.
円でドルを買いたい、つまり、円からドルに両替してください、という意味です。

小銭が要ります。

I want a change.

両替所で小銭も混ぜてほしい場合、I want a change. だと「変化がほしいんです！」という別の意味になってしまいます。phone change は電話をかけるための小銭という意味で、実際にかけるためでなくても、小銭をもらうためにネイティブがよく使う表現です。

> **イチオシ！ Could I get some phone change?**
> Could I get ～? は、「～をいただけますか？」と丁寧に頼むときのお決まりフレーズ。

> **これもOK Could I get some coins also?**
> also は「～も」「～もまた」。「小銭もいただけますか？」という意味。also の代わりに too でも OK です。

> **カジュアル Could you throw in some change?**
> throw in ～で「～を投げ込む」という意味。throw in some change で「小銭も入れて」とカジュアルに言うときのフレーズ。

タイムズスクエアまで行ってください。

Please go to Times Square.

タクシーに乗ると、まずドライバーから Where to?（どちらまで？）などと行き先を聞かれます。Please go to ～は間違いではありませんが、「～に（あなたが）行ってください」と言っているようにも取れるため、ネイティブは使いません。

> **イチオシ!** I need to get to Times Square.
> I need to get to ～. (～までお願いします)。ネイティブがよく使うフレーズ。

> **カジュアル** Times Square, please.
> 行き先に please をつけるだけでも OK です。

タイムズスクエアまで **あなたが**行ってください

ここまでお願いします。
（タクシーの運転手に地図を見せながら）

Here, please.

発音が難しそうな場所などは、地図やガイドブックなどを見せて、「ここまでお願いします」と頼むのが手っ取り早くて確実です。ただ、Here, please. だと「ココ、オネガイ」と片言でぶっきらぼうな感じが否めませんので、せめて I need to get here. ぐらいは言えるようにしておくといいですね。

イチオシ！ I need to get here.
「ここに行く必要がある」という意味で、自分の行きたい場所を示すときに。

これもOK I need to get to this spot.
ガイドブックなどを見せて、「この場所に行きたいんです」と言うときに。

カジュアル I'm headed here.
be headed は「向かう」「進む」という意味ですので、I'm headed here. で「ここに向かっています（のでそこまでお願いします）」となります。

Part 2 海外旅行

急いでください。

Hurry up, please.

Hurry up, please. は、「急いでよ」とちょっと命令口調のように強く聞こえることがあります。相手に「急いで」と頼むよりも、I'm in a hurry. のように「自分が急いでいる」ことを伝えたほうが角も立ちませんし、相手も察してくれるはずです。さらに、kind of をつけることで、きつい印象を与えずに済みます。

イチオシ！ I'm kind of in a hurry.
be in a hurry で「急いでいる」という意味になります。「ちょっと急いでいます」と伝えたいときに。

これもOK! I need to get to Central Hotel by 3:15.
自分の到着したい時間を具体的に告げるのもオススメ。必要に応じて急いでくれるでしょう。

これもOK! The faster, the better.
faster は「より速く」という意味ですので、「急いでくれるとありがたい」という意味になります。

ここで止めてください。

Stop here, please.

Stop here, please. は「ここで止めて」と命令口調のようで、相手にはきつい言い方に聞こえます。何度頼んでもドライバーが車を止めないというときに使うような表現です。急に言われたら驚いて急ブレーキをかける人もいるかもしれません。ネイティブは止めてほしいところへ近づいたら、This is fine. と言います。

イチオシ! This is fine.
「このあたりで大丈夫です」というニュアンスでソフトな表現です。That'll be fine. や Here's fine. でも OK。

これもOK Could you stop over there?
希望の地点に差し掛かったら、「あのへんで止めてください」と指で示しても OK。

カジュアル This'll do.
This will do. の略で、「ここでよい」「ここで十分」というソフトなニュアンスになります。ディス（ル）ドゥと発音します。

Part 2 海外旅行

おつりは取っておいてください。

I'll give you the change.

タクシーの料金を払うとき、おつりをそのままチップにすることがありますが、I'll give you the change. だと「おつりを差し上げようと思います」とちょっと不自然に聞こえます。ネイティブは「取っておく」という意味の keep を使って、Keep the change. という言い方をよくします。Thanks. とお礼の言葉をつけるのも忘れずに。

イチオシ！ Keep the change. Thanks.
Thanks a lot. / Many thanks. など、お礼の表現も豊かにしましょう。

これもOK! Just five dollars back is okay.
おつりを少なめにもらって、あとはチップとして渡す方法もあります。

カジュアル It's all yours.
「(渡したお金は) すべてあなたのものです」という意味で、おつりが不要なことが伝わります。

次はどこの駅ですか？

What is the next station?

自分が降りる駅を確かめるために、次が何駅か聞きたいときがありますね？そんなときによく使われる簡単な言い方が Where do we stop next? です。What is the next station? は間違いではありませんが、口語ではたいてい、What's と略され、What's the next station? と言うことのほうが多いです。

Where do we stop next?
we は自分も含めた乗客のことで、「次は何駅に停まりますか？」という意味です。

Is the next station Perth?
自分の降りたい駅がわかっているのであれば、「次の駅は～ですか？」と聞いてみましょう。

What's the next stop?
next stop で「次の停車駅」という意味。

乗り換えが必要ですか？

Do I have to transfer?

乗り換えの必要があるかどうかを聞くとき、Do I have to transfer? だと、「どうしても乗り換えなくちゃだめ？」というニュアンスになってしまいます。子供が塾などに行きたくないときに Do I have to go?（どうしても行かないとだめ？）と言うときのイメージです。

イチオシ！ Do I need to transfer?
have to を need to に変えるだけで「乗り換えが必要ですか？」という意味の自然な言い方になります。

これもOK！ Do I need to change trains?
「乗り換え」は change trains でも OK です。

ていねい Do I need to make a transfer?
make a transfer で「乗り換えをする」です。丁寧な言い方になります。

パース駅に行くには、どのバスに乗ればいいですか？

Which bus do I have to take to go to Perth Station?

バスなどがたくさん停まっているような大きな停留所では、行き先を聞いてから乗るのが一番安心です。使いすぎフレーズのような長い文を使わなくても、What ○○（乗り物） goes to △△（場所）? で「どの○○が△△へ行きますか？」というシンプルな表現がオススメです。

イチオシ！ What bus goes to Perth Station?
シンプルに「どのバスがパース駅行きですか？」と聞くのが簡単でオススメです。

これもOK！ Maybe you could tell me what bus goes to Perth Station.
最後を質問文のように上げることを忘れずに。

これもOK！ What's the best way to get to Perth Station from here?
the best way to get to ～（～へ行くのにベストな行き方）を聞くことで、バスの乗り方や乗り換え方などを教えてくれるはずです。

Part 2　海外旅行

チェックインをお願いします。

Check in, please.

フロントでこんな言い方をする日本人旅行者が少なくないようですが、実はこれはホテルの従業員側が「チェックインを承ります」という意味でも使うフレーズです。したがって、客側が使うのは不自然。I'd like to check in. という言い方が、定番のフレーズです。

イチオシ！ I'd like to check in.
I'd like to ~. で「~したいのですが」と依頼するときの丁寧な言い回し。

カジュアル Could I check in now?
フロントの人に「今チェックインできますか？」と聞くことで、自分がチェックインしに来たことを告げることができますし、声をかけた人がチェックインの担当者かどうかもわかります。

これもOK！ I need to check in.
I need to ~ で「~をする必要がある」という意味ですが、「~しにきました」と目的を伝えるときにも使えるフレーズです。

モーニングコールをお願いします。

Morning call, please.

日本語ではモーニングコールが一般的ですが、これはイギリス英語のため、アメリカでは通じないこともあります。アメリカでは wake-up call と言います。I'd like 〜. (〜をください) はモノだけでなく、イチオシフレーズのようにサービスに対しても使うことができる便利で丁寧な依頼表現です。

イチオシ! I'd like a wake-up call.
I'd like 〜. で「〜をお願いします」。like 以下にお願いしたいことを入れます。

カジュアル Could you wake me up at seven?
ホテルのスタッフと親しくなってきたら、「7時に起こしてもらえる?」なんてフレンドリーな言い方でも OK。

朝食はどこで食べられますか?

Where can I eat breakfast?

ホテルのフロントで朝食をとる場所を聞くときは、シンプルに Where is breakfast served? で伝わります。使いすぎフレーズのような言い方だと、自分で買ってきた食べ物をどこで食べられるかを聞いているようです。

イチオシ! Where is breakfast served?
旅行プランにホテルの朝食がついている場合の聞き方。serve は「食事を出す」という意味です。例) Is breakfast still being served?(朝食はまだ食べられますか?)

これもOK! Where can I get something for breakfast?
ホテルではなく、ホテル以外で朝食をとれるところがあるか聞く場合のフレーズです。

これもOK! Is there a place within walking distance that serves breakfast?
歩いて行ける距離に朝食をとる場所があるかどうかを聞くときに。

部屋をノックされたとき、どう答える?

ルームサービスなどが運ばれてきて、チャイムもしくはノックをされたとき、とっさの答えに困る人が多いようです。ここでWho are you? と言ってしまうと、「誰だ!」とちょっと強い物言いになります。こういう場合は通常 Who is it? と言います。また、「今行きます!」を I'm going. と言ってしまう人もいるようですが、これでは部屋から出てどこかへ出かけてしまうように聞こえます。ここは I'm coming. と言います。部屋に招き入れる場合は Come on in. が自然な言い方になります。Come in, please. と言いがちですが、これはかなり丁寧にお客様を招き入れるときの言い方になります。

部屋を変えてください。

I want to change the room.

使いすぎフレーズは「自分の部屋を模様替えしたい」と言いたいときに使うものなので、ホテルの部屋の変更に使うのは不自然です。また、部屋を変えてもらうといった比較的大きな頼み事には、I'd like to ~. という「~をお願いします」と丁寧にものを頼むときの言い回しがオススメ。こちらからの願いを叶えてもらう場合は、丁寧で感じのいい表現をしたいですね。

イチオシ！ I'd like to switch rooms, if it's okay.

switch rooms で「部屋を移る」という意味。文末に if it's okay / if you don't mind をつけると、「そうしていただけるなら」「もし可能であれば」というニュアンスが加味されます。

ていねい Do you think I could move to a different room?

頭に Do you think をつけて、Do you think I could ~で、「~は可能でしょうか？」と控えめにお願いする言い方になります。

タクシーを呼んでいただけますか？

Please call a taxi.

call a taxi は「タクシーを呼ぶ」という意味ですが、使いすぎフレーズの言い方だと、「お願いだからタクシーを呼んで」というニュアンスで伝わります。フロントでタクシーを頼むときも丁寧にお願いしたいものです。

イチオシ！ Could you call a taxi for me?
call a taxi for 〜で「〜にタクシーを呼ぶ」という意味。

ていねい Could you be so kind as to call me a taxi?
Could you be so kind as to 〜 ? は「恐れ入りますが〜していただけますでしょうか？」というニュアンス。とても丁寧な言い方になります。

カジュアル Can you get me a cab?
cab も同じくタクシーのことです。get a taxi/cab で「タクシーを呼ぶ（拾う）」。

Part 2 海外旅行

8時半にチェックアウトするつもりです。

I will check out at 8:30.

will は未来を表わす言葉ですが、I will 〜 . となると「絶対」というニュアンスが加わるので、「〜するぞ」と強い意志を表わします。例えば、I will win this game.（この試合に勝つぞ）、I will pass this test.（このテストに受かるつもりだ）のような場合です。普通に予定を述べる場合は、たいてい I'm going to 〜 . を使います。

イチオシ！ I'm going to check out at 8:30.
単なる予定を表わす場合は I'm going to 〜 . を使います。

これもOK! I'm planning to check out at 8:30.
I'm planning to 〜 . も予定を表わすときによく使います。「〜する予定です」というニュアンスになります。

これもOK! I'm thinking about checking out at 8:30.
I'm thinking about 〜ing は「〜しようかなと思っている」と自分の考えていることを伝えるときに。

カード払いでお願いします。

I want to use a credit card.

クレジットカードで支払いたいとき、I want to use a credit card. でも間違いではないのですが、ネイティブがこのような言い方をすることはあまりありません。こういうときは「カードで支払う」「つけで支払う」という意味の charge という単語を使って、Charge it, please. とシンプルな言い方をします。

イチオシ! Charge it, please.
このひと言で「カード払いでお願いします」という意味になります。Charge it to (one's) room. であれば「部屋につけておいてください」。

これもOK! I'd like to pay by card.
I'd like to pay by 〜で支払い方法を伝えるときのお決まりフレーズです。

カジュアル Plastic.
plastic とはクレジットカードのことで、Cash or plastic? と聞かれることもありますので覚えておきましょう。

出発時刻まで荷物を預かってください。

Please keep my luggage until my departure time.

空港での言い方になじみがあるので、出発時刻 = departure time と思う人もいますが、これは主に飛行機の離陸時刻や列車などの発車時刻を表わしますので、ホテルの出発時間として使うのは不自然です。「自分がホテルを出るときまで」と言うときは、until I leave と言います。

イチオシ! Could you keep my luggage for me until I leave?

until は「～まで」という意味。Could you ～? は「～していただけますか」。

これもOK! Do you think you could keep this until my departure?

単に departure であれば、「出発するまで」という意味になります。Do you think you could ～? は「～してもらえます?」という意味。

このあたりでオススメの
レストランを教えてください。

Please teach me the good restaurant near here.

teach は確かに「教える」という意味ですが、「技能や知識」「方法」などを教える場合に使いますので、道案内や連絡先などのちょっとしたことを聞くときには不自然です。人にオススメの場所やモノを聞くときは Do you know any good ～?（よい～をご存じですか？）という表現をよく使います。

イチオシ！ Do you know any good restaurants around here?

「このあたりでよいレストランを知っていますか」。around here は「このあたりで」とちょっと範囲が広まりますが、ほぼ near と同じ感覚で使われます。

カジュアル What's the best restaurant near here?

「この近くで最高のレストランはどこですか？」と、ホテル周辺で特に評判のいいレストランを知りたいときに。

鍵をなくしてしまいました。

I lost my key.

I lost my key. は「鍵をなくした」という意味ですが、ただなくしてしまった事実を述べているだけで、「なくしてしまって申し訳ない」という気持ちまでは伝わりません。I seem to have lost my key. であれば、「困ったことに」「申し訳ない」という気持ちも含まれるのでオススメです。

イチオシ! I'm sorry, but I lost my key.
頭に I'm sorry といった謝罪のひと言をつければ問題ありません。

これもOK! I seem to have lost my key.
seem を入れると「〜のようです」と語調がやわらぎます。

これもOK! It looks like I've lost my key.
It looks like 〜. も「〜のようです」と言葉を濁すときに使います。looks like のかわりに seems でも OK。

具合が悪いです。

I'm sick.

I'm sick. は「気分が悪い」という意味ですが、かなり重症なときに使います。少し気分がすぐれない、ちょっと具合が悪い、と言うときは、I'm not feeling well. という言い方をします。feel well で「気分がいい」ということですので、be not feeling well で体調がいま一つであることが伝わります。

イチオシ! I'm not feeling well.
「気分がすぐれない」と言うときに使う定番フレーズ。

これもOK! I have a stomachache / a headache / nausea / a fever.（おなかが痛い／頭痛がする／吐き気がする／熱がある）
具体的にどこが悪いかを伝えると、なんらかの対応をしてもらえるかもしれません。

Part 2　海外旅行

アットホームなホテルですね。
(滞在の感想を聞かれて)

This hotel is at home.

ホテルを出るときは、満足したことを伝えたいものですね。アットホームな雰囲気だったと伝えたくて、上のフレーズのような言い方をしてしまうと「このホテルは私の家です」と言っているように聞こえます。This hotel feels like home. であれば言いたいことが伝わります。

イチオシ！ This hotel feels like home.
at home を使うならこの言い方が正解。「我が家のようにくつろぐことができました」という意味のほめ言葉に。

これもOK！ This hotel is cozy.
cozy は「居心地がよい」「くつろげる」という意味です。ネイティブは居心地のよさを表わすときにこの単語をよく使います。

これもOK！ I love this hotel.
とても気に入ったこと伝えるときは I love ~. と言います。I love this pizza. のように気に入った食べ物にも使えます。

カジュアル We enjoyed our stay.
ホテルを出るときに満足したことを伝える決まり文句。

リコンファームをしたいのですが。
(飛行機の予約確認)

Can I reconfirm?

海外の航空会社を使うとき、フライトのリコンファーム（予約の再確認）をホテルの電話ですることはよくあります。Can I reconfirm? だと「リコンファームをすることは可能ですか？」という意味になり、相手はちょっと戸惑うかもしれません。How can I reconfirm my flight? と言えば、快く手順を教えてくれるはずです。

イチオシ！ How can I reconfirm my flight?
How can I ～ ? は「どうすれば～できますか？」。「リコンファームをどのようにすればいいですか？」と手順を問うフレーズに。

これもOK I'd like to reconfirm my flight.
reconfirm (one's) flight で「～のフライトをリコンファームする」。

これもOK I'd like to reconfirm my reservation on Flight 0513.
「0513便のリコンファームをしたいのですが」と、便名まで伝えれば相手もより対応しやすくなります。

メニューをいただけますか？

Menu, please.

Menu, please. だとちょっとシンプルすぎるので、感じのよい依頼の仕方を覚えておきましょう。オススメはCould I see a menu? です。また、Could I see ～? で「～を見せていただけますか？」という意味ですので、メニュー以外でも see のあとに wine list / dessert menu / sample など見たいものを続ければ OK です。

イチオシ Could I see a menu?
直訳は「メニューを見せていただけますか」、つまり「メニューをください」という意味。

カジュアル Could I get a menu?
「メニューをいただけますか？」という意味です。水がほしい場合は Could I get a glass of water? となります。

これもOK I don't have a menu yet.
メニューが来ていないことを告げ、催促するときのフレーズです。

注文いいですか？

I want to order.

レストランで注文したいとき、ウェイターさんにどう言えばいいか迷う人が意外と多いようです。I want to order. だと少し子どもっぽい言い方になってしまうので、スマートな切り出し方を覚えておきましょう。大人が注文をお願いするときは We're ready to order. と言います。

> **イチオシ！ We're ready to order.**
> 「注文する準備ができました」という意味で、注文をとってもらいたいという意思が伝わります。自分1人であれば、I'm ready to order. となります。

> **これもOK！ Could we order now?**
> 「注文してもいいですか？」というときの定番フレーズ。

> **カジュアル Could you take my order?**
> 隣のテーブルに料理を運んでいるときや、通りすがりのウェイターさんに「私の注文をとってもらえます？」というニュアンスで使います。

Part 2　海外旅行　99

もう少し時間をください。
(「ご注文は?」と聞かれて)

Just a moment.

Are you ready to order?(ご注文の準備は?)と聞かれてもう少し時間がほしいとき、Just a moment. と言う人が多いですが、これは主に相手の動作を止めるときに「ちょっと待って!」という意味で使うフレーズ。レストランの注文でもう少し待ってほしいときに使うのはちょっと不自然です。

イチオシ! Could you give me a few more minutes?
「もう少しだけ時間がほしい」という気持ちが伝わる丁寧な言い方。

カジュアル Sorry, I'm not ready.
「申し訳ないのですが、まだ(注文の)用意ができていません」という意味です。

これもOK Sorry, we're still deciding.
何度か注文を聞きにこられて、まだ時間が必要なときの表現。

これをください。

I want this.

I want ～.は「～ちょうだい」というニュアンスで、親しい人同士であればOKですが、親しくない人には少し子供っぽいニュアンスで伝わります。メニューを指して「これください」というときは、I'll have this.が大人の言い方になります。最後にpleaseやthanksを付け足すとさらに丁寧。

> **イチオシ！ I'll have this.**
> 「これにします」と伝えるときの定番フレーズ。I'd like this.も同意表現。

> **これもOK！ I'll take this.**
> takeには「選ぶ」「買う」という意味もあります。「これに決めた」というニュアンスです。

> **カジュアル I'll go with this today.**
> go with ～で「～にする」「～を選ぶ」という意味。

これはなんですか？

(メニューを指して)

What is it?

メニューの中に初めて見る料理、想像がつかない料理があるときは、店員さんに説明してもらうしかありません。What is it? だと「なんだこれ？」とかなりストレートな言い方になります。わからない料理があるときはメニューの該当箇所を指して、Could you explain this? と言えば、料理の説明をしてくれます。

イチオシ！ Could you explain this?
explain は「説明する」。メニューを指し、店員さんの目を見ながら言いましょう。

これもOK! What does this taste like?
味がどんな感じか知りたいときの表現です。

カジュアル What's it like?
What's ～ like? で「～はどんな感じ？」と聞くときのフレーズです。

同じものをください。

Same, please.

料理の注文をしているとき、先に頼んだ人と同じ場合は「私も同じものをください」というのが手っ取り早いですね。Same, please. だと何が同じなのかがピンと来ません。そんなときは the same「(前に頼んだ人と) 同じもの」を使って、The same for me. という表現がぴったりです。

イチオシ The same for me.
「私にも同じものを」という意味。

カジュアル Make it two.
「(注文数を) 2つにしてください」と、誰かが注文したあとに言うカジュアルなフレーズです。

ていねい I'll have the same.
「私も同じものをいただきます」と丁寧な言い方です。

魚は嫌いです。

(苦手なものを聞かれて)

I hate fish.

レストランで苦手な食材を聞かれたら、素直に言うのが一番。ただ、I hate fish. だと「魚、嫌い」といった直接的な表現になってしまいます。ネイティブは公の場でネガティブなことをストレートに言うことは避ける傾向にあります。I don't care for 〜. であれば、ソフトなニュアンスになるのでオススメです。ちなみに、I can't eat fish. だと「何らかの理由があって食べられない状況にある」という印象を受けます。

イチオシ！ I don't care for fish.
care for 〜 は「〜が好き」という意味。I don't care for 〜 で「〜はちょっと苦手で」という意味になります。

カジュアル I don't like fish.
I hate fish. と同じことを言っているのですが、「嫌い」というよりも「好きではない」と少しやわらかいニュアンスになります。

ていねい I don't care much for fish.
much を入れることで「それほど得意ではないんです」とさらに遠回しな言い方になります。

〜は抜きにしてください。

I don't want an onion.

苦手なものがあれば抜いてもらって、おいしくいただきたいものです。「〜抜きでお願いします」というときは、「抜く」「除外する」という意味の leave out を使って、Could you leave out the 〜? とお願いするのが自然です。使いすぎフレーズの言い方だと、「タマネギ（1個）はいりません」と言っているようで不自然です。

イチオシ！ Could you leave out the onions?
onion など数えられるものは複数形に、milk など数えられないのは単数形で。

これもOK I'd like an omelet without onions.
I'd like ○○（料理名）without △△（苦手なもの）. で「△△抜きの○○をください」という意味に。

これもOK Go easy on the onions.
「少なめに」とお願いするときは、Go easy on に苦手な食材を続ける言い方が便利。

オススメは何ですか？
(注文をとりにきた店員さんに)

What's your recommend?

「リコメンド」は日本語にも浸透しているため、What's your recommend? と名詞のように使ってしまう人がいますが、recommend は「推奨する」「勧める」という意味の動詞。使うとすれば What do you recommend? となります。

イチオシ！ What would you have if you were me, Tom?

「あなただったら何にする？」と店員さんに聞くときに。if you were me は「もしあなたが私だったら」。スタッフの名前を最後につけるとさらにフレンドリー。

これもOK What's your most popular dish?

「(このお店の) 一番人気の料理は？」いう意味です。

これもOK Is there something that's especially good tonight?

「今晩の一番のオススメは？」という意味になります。

わかりました。
（お店の人に何かを勧められて）

Okay.

Okay. と平坦に言うと、あまり納得がいってない感じです。こんなときは、「主張する」を意味する insist を使った、If you insist. という表現がオススメ。本来は人に言われたことをしぶしぶ引き受けるときのひと言ですが、レストランなどで冗談っぽく「そんなに言うならそうします」というときにも使えます。

イチオシ **If you insist.**
「そんなに言うなら」というユーモアたっぷりのフレーズです。

これもOK **Well, you talked me into it.**
talk ～ into で「～を説き伏せる」という意味。「わかった、君の勝ち」というニュアンス。

これもOK **I'll go with your suggestion then.**
go with ～で「～を選ぶ」という意味なので、go with your suggestion で「あなたの提案通りに決める」という意味に。

これは頼んでいません。
(注文していないものが出てきたときに)

I didn't order this.

注文していないものがきてしまったとき、あとで料金をとられては大変ですので、きちんと頼んではいないことを伝えなくてはいけません。使いすぎフレーズでも問題はありませんが、I don't think it's mine.（自分のものではありません）という言い方も覚えておきましょう。

イチオシ! I don't think it's mine.
I don't think 〜（〜だとは思わない）という言い方をすることで語調がやわらぎます。

カジュアル This isn't what I ordered.
「これ頼んでいませんよ」というニュアンス。

これもOK We didn't order this.
支払いの際、請求書に頼んでいないものが含まれていたときの言い方です。強めに言いたいときは、「確かに」という意味の I'm pretty sure を文頭につければ OK。

ええ、お願いします。
（「お代わりはいかがですか？」と聞かれて）

Yes, please.

使いすぎフレーズは、Would you like to have some wine? などと何かを勧められて、「ええ、お願い」と答えるときのごく普通の言い方です。I'd love to. は「ええ、ぜひ」というポジティブなニュアンスも加わり、感じのいい雰囲気になります。せっかくですから、勧めてくれた相手の気分もよくなるような言い方でお代わりをもらいましょう。

イチオシ I'd love to.
相手の申し出などに対し、「ぜひ！」と自分の嬉しい気持ちが伝わる表現です。

これもOK Yes, definitely.
definitely は「もちろん」と肯定を強調するときに使います。

これもOK That would be nice.
「それは素敵（な提案ですね）」というニュアンスで上品な言い方です。

いいえ、ありません。
（「ほかにご注文は？」と聞かれて）

No.

Anything else?（ほかに追加の注文がないか）と聞かれてもう大丈夫な場合、No. だけだとつっけんどんな印象ですので、No のあとに we're ready to leave.（もう行きます）などと付け加えるといいでしょう。ready to ～で「～の用意ができた」という意味です。例）We're ready to eat.（食べる準備は整ったよ）。

イチオシ！ No, we're ready to leave.
ready to leave で「帰るところ」。

カジュアル No, but thanks.
シンプルですが、聞いてくれたことへの感謝の気持ちが伝わります。

これもOK I think we're okay.
大丈夫そうです、というニュアンス。相手の申し出をソフトに辞退するときに。

もう十分(おなかいっぱい)です。

That's enough.

Would you like some dessert?（デザートはいかがですか？）などと追加の注文を聞かれて、「もう十分」という意味で That's enough! と強く言ってしまうと、「もうたくさんだ」とうんざりしているようにも伝わってしまいます。せっかく勧めてくれたお店の人にちょっと失礼です。「もう十分足りている」と言いたいときは、I'm all right. という言い方をします。

イチオシ I'm all right, thanks.
「自分の状態が大丈夫」、つまり満ち足りていること（満腹）を表わすときのフレーズです。

これもOK Thanks, but I'm full.
I'm full.（おなかいっぱいです）の前にひと言お礼を述べることで、サービスに満足した気持ちが伝わります。

これもOK Not right now, thanks.
あとで頼みたくなりそうなときは、「今のところは大丈夫です」という意味のこのフレーズがオススメ。

予約は必要ですか？
(お店に行く前に電話で)

Must I make a reservation?

Must I ～ ? は深刻な問題について語るときに多く使われる表現。日常会話で使うとかなり不自然です。ここは「必須の」という意味の required を使って、Are reservations required? というシンプルな言い方がオススメ。Is formal dress required?（フォーマルな服装が必要ですか？）のようにも使えます。

イチオシ！ Are reservations required?
required は「必須の」という意味。required subjects で「必須科目」。

これもOK Do I need a reservation?
Do I need ～ ? は「～は必要ですか？」と、必要かどうかを尋ねるときによく使うフレーズです。

これもOK Should I make a reservation?
Should I ～ ? で「～したほうがいいですか？」と相手に意見を求めるときのフレーズです。

かまいませんよ。
（「狭い席でもいいか」などと聞かれて）

We're okay.

混んでいるときは、人数の割には少し狭い席などに通されたり、「あまり場所がよくないところでもいいか？」などと聞かれることもあると思います。その際、快く承諾するときは、We don't mind at all. というフレーズがよく使われます。mind は「気にする」という意味ですので、「まったく気にしません」という意味になります。We're okay. は「現状のままでいい」という意味になりますので、この場合はちょっと不自然な答えになります。

イチオシ　We don't mind at all.
いっこうにかまいません、と快く応じるときに。

これもOK　Yes, that would be fine, thank you.
「ええ、もちろんいいですよ」と相手の提案などに快く応じるときに。

カジュアル　Sure, that works for us.
work for ～は「～に都合がいい」という意味です。That works for ～で「～はそれでけっこうです」と快諾するときの決まり文句です。

どちらでもいいです。
(喫煙席か禁煙席かを聞かれて)

I don't care.

I don't care. は「気にしない」という意味ですが、言い方によっては機嫌が悪く「どうでもいい」とかなり投げやりに答えたニュアンスになってしまいます。ネイティブは何かを聞かれて特に希望がない場合は、Doesn't matter. という言い方をします。「どちらでもけっこうですよ」という意味になります。

イチオシ! Doesn't matter.
It doesn't matter. の略。なるべく笑顔で言うようにしましょう。

これもOK Whichever is available first.
「先に空くほうで」と言いたいときに。whichever は「どちらでも」、available first は「最初に利用可能になる」。

これもOK Which do you think is faster?
「どちらが早く空きますか?」と聞きたいときに。Which do you think ～? で「どちらのほうが～ですか?」と尋ねるフレーズになります。faster は「より早く」。

違う席に移りたいのですが。

Can I move to another table?

Can I move to another table? は、「違う席に移れますか？」とただ可能かどうかを聞いているだけの文です。ちょっとしたわがままを聞いてもらいたいときは、「お手数ですが」とちょっとへりくだった姿勢が◎。Would it be okay to ～? (～してもかまいませんでしょうか？) は、許可を求めるときのとても感じのよい言い方です。

イチオシ！ Would it be okay to change tables?
「席を移ってもかまいませんか？」と丁寧な依頼表現になります。

カジュアル Do you mind if we move to another table?
Do you mind if we ～? で、we以下のことをしたら気にしますか？と、相手に都合を聞くときに使います。

これもOK！ Could we sit by the window?
カジュアルな雰囲気ならこの言い方でもOK。

Part 2　海外旅行　115

ええ、どうぞ。
(「タバコを吸ってもいいですか?」と聞かれて)

No, it's okay.

隣の人に Mind if I smoke?(タバコを吸ってもかまいませんか?)と聞かれて、「ええ、どうぞ」と快諾するときは、了承や譲歩を意味する fine を使って、I'm fine. と答えます。okay だと「仕方がないですね」と少し「しぶしぶ」という印象を与えます。

イチオシ✓ No, I'm fine.
I'm fine with you smoking.(あなたがタバコを吸っても大丈夫です)の略。Go ahead. もよく使います(P.37 のコラム参照)。

これもOK! No problem.
相手の行動に対して「問題ありません」と言うときのひと言です。

Mind if I ~ ? と聞かれたときの答え方

気をつけたいのが、(Do you) Mind if I ~ ? への答え方。「ええ、気にしません」という日本語の感覚で最初に Yes. と言ってしまうと、「はい、迷惑です」という意味になってしまいますので注意しましょう。

控えてください。
（「タバコを吸ってもいいですか？」と聞かれて）

Please don't smoke here.

タバコを吸わないでほしいときも、感じよく断りたいものです。Please don't smoke here. は「ここではタバコをやめてください」とかなりストレートな言い方ですので、言われた相手はちょっとシュンとしてしまうかもしれません。遠回しに断るときは「できれば」という意味の would rather という表現が便利です。

イチオシ！ I'd rather you not.
I'd rather は I would rather の略。「できればあなたにしてほしくない」という控えめな断り文句。これなら角が立ちません。

これもOK I'd like you not to smoke here.
I'd like you not to ~. も、同じく「~しないでください」と遠回しに断るときに使えます。

これもOK I'm allergic to the smoke.
allergic to ~で「~アレルギー」という意味。「煙アレルギーです」という言い方であれば、「タバコを吸う人は嫌い」というニュアンスがなく無難な言い方になります。

ここは何時に閉店ですか？

What time do you finish?

お客さんが少なくなってくると、閉店時間が気になりますよね。ただ、使いすぎフレーズの言い方だと、お店のスタッフに仕事が終わる時間を尋ねているようです。

イチオシ！ When do you close?
「閉店する」は close と言いますので、これでお店の閉まる時間を聞くことができます。

これもOK When's the last call?
last call で「ラストオーダー」。ラストオーダーの時間を聞いてもいいでしょう。

あなたは、何時に（仕事が）終わりますか？

お会計をお願いします。

Check, please.

「お勘定をお願いします」と言うとき、なじみのお店であればCheck, please. でも問題ありませんが、そうでない場合は少し乱暴な言い方になります。ちなみに、欧米ではたいていテーブルで支払いをすることができます。

> **イチオシ!　Could I get the check?**
> 「お勘定」は check と言います。イギリスの場合は bill になります。

> **これもOK　Excuse me, we're ready to go.**
> まず Excuse me, と声をかけてから、「そろそろ店を出る」という意思を伝えれば、店員も察してお勘定を持ってきてくれます。

> **ていねい　Maybe we could get the check now.**
> get a check で「勘定をもらう」。「そろそろお勘定お願いできますでしょうか」と丁寧な表現です。

Part 2　海外旅行　119

おいしかったです。

(料理の感想)

Good. / Delicious.

good や delicious ひと言だけだと、よほど大げさに言わないかぎり、感動はやや薄め。料理の感想を言う基本形の It was 〜. の言い回しに、great や very delicious を使ったほうが、「最高においしかった！」という気持ちが伝わります。「特に〜が素晴らしかった」などとひと言添えたら、さらに◎です。

イチオシ！ It was great! I especially liked the chicken.
料理全体の感想は It was ＜形容詞＞. で表わせます。great のほかに fantastic, amazing, perfect などを使っても OK です。

これもOK！ I loved everything!
「どれもとても気に入った」と言うときは love を使って表現できます。

カジュアル Couldn't have been better!
直訳だと「これ以上はよくならない」。つまり、「かなり満足している」という気持ちが伝わるひと言です。

よかったです。
(お店を出るときのひと言)

I think this is a good restaurant.

とてもよいサービスを受け、食事もおいしかったのであれば、無言でお店を出て行くのではなく、スタッフにその気持ちを伝えましょう。I think this is a good restaurant. は、「いいレストランだと思います」とあまり感情がこもっていません。We enjoyed the dinner. であれば、サービスを含め楽しい食事ができたということが伝わります。

イチオシ！ We enjoyed the dinner.
enjoyed 〜で「〜を楽しんだ」。楽しいひとときを過ごしたときに。

これもOK We had a nice time. Thanks.
「よい時間を過ごした」という意味で、満足のいくサービスを受けたときのお礼として使われる決まり文句です。

カジュアル Everything was just great.
just をつけることで「本当に」と強調した言い方になります。「何もかも心から満足しています」という意味。

おやすみなさい。
（お店を出るときに店員さんに）

Good night.

お店を出るとき、店員さんが見送りながら Good night, sir/ma'am. などと言ってくれることがよくあります。これに対する返事は Good night. でもちろんいいのですが、ただオウム返しにするだけではなく、Thank you for tonight. などとひと言添えると、それだけで一歩進んだコミュニケーションになります。

イチオシ！ Thank you for tonight.
「今夜はありがとう」という意味で、その日お世話になった人への感謝の気持ちが伝わります。

これもOK We'll come again.
come again で「また来る」。また来たいと思うほど満足したときにぴったりのフレーズ。

これもOK Thanks for dinner.
おいしい食事に対するお礼の表現。日本語の「ごちそうさま」に近いニュアンスがあります。

カードで支払えますか？

Can I pay by credit card?

こう聞くと、クレジットカードを使えるかどうかはわかりますが、自分の所持している会社のカードを使えるかどうかまではわかりません。そこで便利なのがイチオシフレーズです。自分の使いたいカードを見せながら、Do you take this? と言うだけで、そのカードが使用可能かどうかわかります。

> **イチオシ Do you take this?**
> この場合の take は「受け付ける」という意味。take の代わりに accept でも OK です。

> **これもOK Do you take Visa?**
> this の代わりに具体的なカード会社名を入れても OK。

> **カジュアル Is this card okay?**
> 「このカードは大丈夫ですか？」と確認するときに。カードを見せながら使います。

Part 2　海外旅行

特に決まったものはありません。
（店員に「何かお探しですか？」と聞かれて）

Nothing.

海外の店員さんも、お店に入るとフレンドリーに声をかけてきます。ちょっと見ているだけ、たまたま入っただけ、という場合でも Nothing. ひと言ではあまりにもきっぱりした言い方になってしまいます。そんなときに便利なのが、Nothing particular. というシンプルな定番フレーズです。

イチオシ！ Nothing particular.
particular は「特定のもの」。「特にお目当てがあるわけではないんだけど」というニュアンス。

これもOK！ No, just looking. Thanks.
「見ているだけです」と言うことで、目当てのものがないことが伝わります。

これもOK！ I'm not looking for anything particular.
「これといったものを探しているわけではありません」というニュアンス。

試着をしたいのですが。

Can I try this?

手にしている商品を「試着してみていいですか?」と言うときや、腕時計や帽子などを試してみたいときはCan I try this on? が定番フレーズ。使いすぎフレーズでも状況によっては通じないこともありませんが、Can I try this? は通常、食べ物を試食するときに使います。また、黙って商品を試着室に持ち込むのは厳禁です。

イチオシ! Can I try this on?
何点か試したいときは (もしくは、jeans や glasses, shoes など複数形で使うものには)、this を these にします。

これもOK Where's the fitting room?
「試着室はどこですか?」と聞くことで、試着したい気持ちが伝わります。

カジュアル Let me see how this fits.
fit は洋服などが「合う」という意味なので、「どんな感じかを確認したい」というフレーズ。see の代わりに check でも OK。

Part 2　海外旅行

これはやめておきます(買いません)。
(試着後に)

I will not buy this.

試着してみて気に入らなかった場合でも、無言で商品を戻して去っていくのではなく、ひと言声をかけましょう。I will not buy this. は「これは買わないことに決めた」という意味になり、そこまで断言しなくても……と思われるかもしれません。

イチオシ！ I think I'll pass this time.
pass this time で「今回は見送る／やめておく」。クッション言葉の I think を使えば、「今回はやめておこうかな」というソフトなニュアンスに。

カジュアル Maybe next time.
next time は「次回」。Maybe はあとに続く文をソフトな響きにする便利な切り出し表現。

これもOK I'll have to think about it.
「ちょっと検討します」というニュアンスになります。

これでいいです。

(試着後に)

It's okay.

店員に試着の感想を聞かれたとき、It's okay. だと「こんなもんかな (まあ満足)」というぐらいのニュアンスになります。「気に入った (かなり満足)」と言いたいときは、「完璧」という意味の perfect を使って Just perfect. と答えるのがオススメです。

イチオシ！ Just perfect.
Just は「まさに」「とても」というニュアンスで、あとに続く言葉を強調するときに使えます。

これもOK! I do like this.
I like this. (気に入った) に do を加えるだけで、「とても気に入った」と満足感を表わせます。

カジュアル This is just right!
「これ完ぺき！」というニュアンスで使います。

Part 2 海外旅行 127

ほかの色はありますか？

I want a different color.

洋服店などで、「〜はありますか？」と別の色があるかどうか聞くときは、お決まりフレーズの Do you have 〜? を使ってイチオシフレーズのように聞きます。I want a different color. だと「違う色がほしいの！」と主張しているような印象です。

イチオシ！ Do you have this in other colors?
サイズの場合は color を size に。また、other colors の代わりに具体的な色を入れて聞くこともできます。例）Do you have this in navy?（これの紺色はありますか？）。

これもOK Does this come in any other colors?
Does this come in 〜? で「これで〜はありますか？」と色、サイズ、素材違いを聞くときに。

これもOK This doesn't come in blue, does it?
希望する色が具体的にあるのであれば、「これで青はないんですよね？」と上記のような聞き方でも Good!

もっと大きなサイズは
ありませんか？

Don't you have large sizes?

Don't you have ～? だと「なんで～がないの？」と責めているような言い方になります。Don't you have any pride?（プライドはないわけ？）のようによく使います。I'm just wondering は「ちょっと知りたいのですが」「ちょっとお聞きしますが」といったニュアンスになりますので、知りたいことを控えめに切り出すことができます。

イチオシ！ I'm just wondering, does this come in a larger size?

小さいサイズは larger を smaller にすれば OK です。

これもOK！ I need something just a little bigger.

I need something ～. で「～なものがほしいです」。a little bigger は「少し大きめ」という意味です。

もう少し考えさせてください。
(「お決まりですか？」と聞かれて)

Just a moment, please.

「お決まりですか？」と聞かれてもう少し時間がほしいとき、Just a moment, please. だと何かを催促されて「ほんのちょっとだけ待って」というニュアンスになりますので、ここではちょっと不自然です。時間がほしい、つまりまだ買う準備ができていないということですので、I'm not quite ready. というフレーズが自然です。

イチオシ! I'm not quite ready.
まだ準備ができていない、つまり時間がほしいという意味に。quite 〜は「まったく〜」という意味で、not quite で「まったくとは言えない」、つまり、「あと少し」ということを表わします。

これもOK! I'd like to look around.
look around で「見て回る」という意味ですので、「もう少し見てからにします」と言いたいときに。

これもOK! Can I have a minute?
「ちょっと考える時間をもらえますか？」というニュアンス。少し時間がほしいときに。

これをください。

I want to buy this. / May I have this?

購入を決断したときは、「意志」を表わす will を使った I'll take this.(これを買うことに決めました)という言い方が◎。試着室で言うのであれば、まず It's perfect. などと言うと、試着して気に入ったという気持ちが表わせます。I want to buy this. だと、「これ買いたいな」と自分の願望を述べているだけに思われてしまいます。また、May I have ~? は「~させていただいてもよろしいですか?」と店員が客に丁寧にお願いするときに使う言い方ですので、客が使うのはやや不自然です。

イチオシ I'll take this.
「これをください」と持っている商品の会計をするときのひと言。

これもOK I'll have this one.
ここでの have は「購入する」という意味です。

カジュアル Okay, I'll take it.
Okay と切り出すことで、「よし、これにします」という意思が伝わります。

高くて買えません。

It's expensive.

値段が思ったよりも高い場合は、無理して買わずに断りましょう。It's expensive. だと「高すぎる」とストレートすぎる言い方になります。ここは予算を表わす price range を使った It's out of my price range. という言い方がぴったりです。自分の想定を超えていたという意味になり、相手を責めるようなニュアンスがなくなります。

イチオシ It's out of my price range.
out of ~で「~の範囲外」という意味。「予算内」であれば in (one's) price range となります。

これもOK It's a little over my budget.
over (one's) budget で「予算を超えている」。a little をつけることで、ソフトな印象に変わります。

これもOK I can't afford it.
can afford ~は「~を買う余裕がある」という意味ですので、否定形にすると「高くて手が出ません」というニュアンスになります。

このクーポンは使えますか？

Can we use this?

割引クーポンがあればぜひ活用しましょう。Can we use this? でも間違いではありませんが、by any chance を文末につけることで、「もしかして」「ひょっとして」と期待を込めながら話す感じが出せます。とてもフレンドリーな言い回しです。

イチオシ！ Can we use this coupon, by any chance?
「もしかして、このクーポンって使えたりしますか？」というニュアンス。

ていねい I'd like to use this.
「このクーポンを使いたいのですが」と丁寧に聞くときの表現。

カジュアル I have a coupon.
「クーポンがあります」と差し出すことで、有効かどうかをチェックしてくれるはずです。

Part 2 海外旅行

いつ送っていただけますか？

When will you send it?

お直しや、商品などを取り寄せたものを送ってもらう場合、いつ送ってもらえるかは聞いておきたいところ。When will you send it? という言い方だと「いつ送るつもりなの？」とちょっと怒っているようにも聞こえます。About when という言い方をすれば「いつごろ」という意味になり、語調がやわらぎます。

イチオシ About when can you send it?
「いつごろお送りいただけますか？」というニュアンス。

これもOK Around when can I get it back?
直訳だと「いつごろ返してもらえます？」ですが、手元に届くのはいつぐらいかを尋ねるフレーズです。

これもOK About when can you ship it for me?
ship は「出荷する」という意味ですので、ship for ～で「～に送る」という意味。

何か問題ありますか？

Do you have a problem?

お店でお願い事や質問をして、相手が何かを調べていたり、すぐに返事をしてくれないとき、「何か問題があるのかな？」と気になりますね。そんなときに Do you have a problem? と言ってしまうと、「なんか文句あるの？」というニュアンスになってしまいます。こういう場合は Is something wrong? と聞きます。

イチオシ！ Is something wrong?
something wrong で「何かまずいこと」。

これもOK! Is something the matter?
matter も「問題」「解決すべき事柄」を意味します。

これもOK! Is there a problem?
「問題がありますか？」という意味。また困っている人に対して「どうかしたの？」と聞いてあげるときにも使えます。

Part 2 海外旅行

あのぅ、すみません。
(道行く人に話しかけるとき)

I'm sorry.

日本語の「すみません」という言葉の感覚のまま、ちょっとした呼びかけなどにも I'm sorry. を使ってしまう日本人がいますが、英語でこの使い方はちょっと大げさ。この場合の「すみません」に当たるのは Excuse me. です。最初に Um, とひと呼吸置くと、相手も準備ができるのでオススメです。

> **イチオシ！ Um, excuse me, but 〜.**
> Um, excuse me と言って（Um はアを強く発音し、ムは唇を閉じたまま発音します）、相手の注意がこちらに向いたことを確認してから、but 以下を続けましょう。

> **これもOK Sorry to bother you, but 〜.**
> 「お忙しいところすみませんが」というニュアンスで、お店や道、場所などを道行く人に尋ねるときに使えるフレーズです。

> **カジュアル Hi, 〜.**
> お店などで店員さんに声をかけるときは、Hi, でも OK です。

デイブズデリはどこですか？

Where is Dave's Deli?

Where is ～? は相手が場所を知っている前提で聞くときの表現ですので、いきなり見知らぬ人に対して使うのはやや唐突な印象を与えます。誰もが知っているような場所であればOKかもしれませんが、そうでもないお店などの場所を聞きたいときは、Could you tell me とワンクッション置く聞き方がオススメです。

イチオシ！ Could you tell me where Dave's Deli is?

Could you tell me ～? で「～を教えていただけますか？」という意味。

これもOK! Do you happen to know how to get to Dave's Deli?

happen to know で「もしかしてご存じだったりしますか？」とソフトな尋ね方になります。

これもOK! Do you know if there's a Dave's Deli near here?

Do you know if there's a ～ near here? で「近くに～があるかどうかご存じですか？」。

歩けますか？

Can I walk?

Can I walk? だと、「私は歩けますか？」と歩行能力があるかどうかを聞いているようで不自然。目的の場所まで歩いていけるかどうか聞くときは、「歩くことが可能な」という意味の walkable を使ったフレーズが◎。

イチオシ！ Is it walkable?
I live in a walkable neighborhood で「歩ける距離に何でも揃うような便利なところに住んでいる」という意味。

これもOK! Can I get there on foot?
on foot「徒歩で」「歩いて」。

私には、歩行能力がありますか？

歩行能力…

MoMAまで歩いてどれくらいかかりますか?

How much do I have to walk to MoMA?

距離を聞くときは、How far もしくは How long を使います。また、「徒歩で」は on foot と言います。例えば I go to office on foot. は、「私は会社へは歩いて通勤しています」という意味。「歩いてどれくらいかかるか」を聞くときは、この on foot を使うとバッチリ伝わります。

イチオシ！ How far is it on foot to MoMA?

How far は距離を聞くときに使うフレーズですが、このように尋ねると、It's about ten minutes walk.（歩いて10分です）などと答えてもらえます。

これもOK！ How long does it take to get to MoMa on foot?

How long does it take to ～? は、「～までどれくらいかかりますか」と所要時間を聞くときの決まり文句です。

Part 2 海外旅行 139

ホノルル動物園へはこの道でいいですか？

This road goes to Honolulu Zoo?

街中で見知らぬ人にものを尋ねるときには、「すみませんが」「ちょっとお聞きしますが」と切り出してから尋ねるのが普通です。日本語でもいきなり「〜はどこですか？」とは言いませんね。英語で切り出し文句としてよく使われるのが、Can I ask です。

イチオシ! Can I ask, does this road go to Honolulu Zoo?

Can I ask, と言って、相手の注意がこちらに向いてから質問をしましょう。

これもOK! Excuse me, is this the right way to Honolulu Zoo?

right way to 〜で「〜への正しい道」という意味です。

私はこの地図のどこにいますか？
(道に迷ってしまったとき)

Where am I in this map?

街中で道に迷ってしまったときには、まず地図で現在地を確認する必要があります。日本語をそのまま直訳して、Where am I in this map? だと、ネイティブには少し不自然に聞こえます。人に場所を示してもらうときは、Could you show me 〜? というフレーズを使いましょう。また、地図上で場所を示すときは in ではなく on を使います。

イチオシ！ Could you show me where we are on this map?
on this map は「この地図上で」。

カジュアル Where are we on this map?
自分と聞いている人も含めて we (私たち) と表わします。

これもOK Where am I on this map right now?
right now は「今現在」という意味ですので、現在地を聞くのにぴったりなフレーズです。

Part 2 海外旅行

どれくらい待ちますか？

How long must I wait?

劇場や美術館などの外で待たされるとき、どれくらい時間がかかるか気になりますね。How long は「どれだけ」と時間を問うフレーズで間違いないのですが、must I wait を続けてしまうと「どんだけ待たせる気？」とちょっと上から目線の印象を与える可能性があります。

イチオシ! About how long will it take?
「だいたい、どれくらいかかりますか？」と聞くときのフレンドリーな言い方。最初に about をつけることで「だいたいでいいので」というニュアンスが含まれます。

これもOK! How long do I need to wait?
「どれくらい待つ必要がありますか？」と尋ねるときのフレーズ。

カジュアル Will it be long?
「時間は長くかかってしまいそうですか？」とカジュアルに尋ねるときのフレーズ。

いいえ、空いていません。
（「この席、空いていますか？」と聞かれて）

No, you can't.

劇場や映画館などで Is this seat taken?（この席は空いていますか？）などと聞かれ、自分の知り合いが来るときは Sorry, it's taken. という言い方をします。No, you can't. のように言ってしまうと「いいえだめです」というニュアンスで、あまりいい感じの言い方ではありません。taken の代わりに served でも OK です。

イチオシ！ Sorry, it's taken.
まずは「申し訳ないけど」という意味を込めて Sorry, などと言うと、断られた相手も気分を害すことはないでしょう。

これもOK Sorry, my friend's sitting here.
「友人が座っています」というニュアンスで席が埋まっていることを伝えるフレーズです。

これもOK I'm afraid someone's sitting there.
自分の知り合い、もしくは、誰かが座っていたようであれば、そのこともきちんと伝えましょう。I'm afraid は「あいにく」と言いづらいことを切り出すときの決まり文句。

Part 2　海外旅行

写真を撮っていただけますか？

Please take a picture.

上のフレーズだと何の写真を誰が撮るのかがあいまいなので、ネイティブは使いません。写真を誰かに撮ってもらいたいときは Could you take a picture of ～? で「～の写真を撮っていただけますか？」という意味になります。一緒に写真を撮りたいのであれば、Could you take a picture with me? となります。

イチオシ！ Could you take a picture of me?

2人以上であれば me を us にします。of を for にすると、「私の代わりに写真を撮ってもらえますか？」という意味に。「（あなたの代わりに）何の写真を撮ればいいの？」と聞かれてしまうかも。of を使うのが無難です。

ていねい Would you mind taking my picture?

Would you mind ～ing? (～していただけますか？) は、相手にちょっと手間をかけさせてしまうときの丁寧な依頼表現。

日本(東京)から来ました。

I'm from Japan (Tokyo).

I'm from Japan. でも問題はないのですが、少し情報を加えるだけで、そのあとの話がぐんと発展します。自分から何かを発信するとき、プラスアルファーの情報を追加すると、相手にも興味を持ってもらえて会話が弾みます。また、I'm from Tokyo. という言い方もやや情報不足。この場合は I'm from Tokyo in Japan. が自然です。

イチオシ! I'm from Asakusa, an old residential area in Tokyo.
「東京の下町、浅草からきました」と町の特徴を伝えると、相手もイメージが膨らみます。

これもOK! I come from Shizuoka. Shizuoka is famous for its green tea.
be famous for ～で「～で有名」。特産品を伝えるのも会話を弾ませるきっかけになります。

これもOK! I'm from a place in the southern part of Japan called Kagoshima.
東京や大阪といった世界で有名な場所以外は、日本のどの位置にあるかを教えてあげると親切です。

この国に来たのは初めてです。

This is the first time.

自己紹介のときに、初めてその国を訪れたということを伝えたくて This is the first time. と言うと、何が「初めて」なのかはっきりしません。「ずっと〜したかった」という意味の I've always wanted to 〜. というフレーズを使えば、ずっと訪れたかったこと、そして今回それがやっとかなったことが伝わります。

イチオシ! I've always wanted to visit London.
I've always wanted to 〜でこれまでずっと願っていた気持ちを表わします。例）I've always wanted to meet you.（ずっとお会いしたかった）。

カジュアル This is my first time in London.
first time in 〜で「初めての〜訪問」という意味。

これもOK I've been looking forward to seeing London for a long time.
I've been looking forward to 〜ing「〜するのを楽しみにしていた」。I've been を使うことで「これまでずっと」というニュアンスが加わります。

私は会社員です。

I'm an office worker / a business man.

自己紹介のとき、日本人は「会社員です」という言い方をよくしますが、それをそのまま英語にしてI'm an office worker. などと言うと、ネイティブにはいまいちピンと来ません。ネイティブはあいまいには答えず、I'm in ~. (~部署にいます)、I'm a/an ~. (~です) と具体的な仕事や職業を答えるのが普通です。

イチオシ！ I'm in sales. / I'm an accountant.
sales は「営業部」、accountant は「会計士（係）」。自分の部署や職業を英語で言えるようにしておきましょう。

これもOK！ I work for a trading company.
work for ~で「~に勤めています」。会社の業種をはっきりさせると、相手も共通の話題をふりやすくなります。

職業のその他の言い方

salesperson：販売員
professor：教授
teacher：教師
civil servant：公務員
programmer：プログラマー
computer engineer：コンピューターエンジニア

receptionist：受付係
instructor：インストラクター
system engineer：SE
research worker：研究員
web designer：ウェブデザイナー

今日はいいお天気ですね。

It is fine today.

お天気の話は会話のきっかけにもなります。旅行先でエレベーターに隣り合わせた人と言葉をかわす機会もあるかもしれません。お天気に関する話題をいくつかストックしておくと、コミュニケーションに大いに役立つはずです。fine は「よい」という意味ですが、天気に対して使うとちょっとピンと来ません。

> **イチオシ！ Nice weather, isn't it?**
> 「いい天気ですね？」と相手に問いかける感じで◎。nice の代わりに beautiful/lovely などでも OK です。

> **これもOK！ You have great weather here.**
> 海外などの訪問先で「こちらは素晴らしい気候ですね」という意味で使います。

> **カジュアル What a lovely day!**
> 「なんていいお天気なんでしょう」というニュアンス。

甘いものが好きです。

I like sweet things.

甘いもの好きは万国共通。好きなスイーツの話題で大いに盛り上がれるはずです。I like sweet things. は「甘いものが好きです」という意味。間違いではないのですが、もっと好きという気持ちを込めたいときは love を使ってみましょう。ネイティブと話すときは、少しオーバーなほうがより印象的になります。

イチオシ! I love sweets more than anything.
more than anything と付け加えれば「他の何よりも」と強調した表現になります。

これもOK I can't get enough of sweet things.
can't get enough of ～で「～をいくら得ても不十分」、つまり「～ならいくらでも食べられる」という意味で、大好物を伝えるときの定番フレーズです。

これもOK I have a weakness for sweet things.
weakness は「弱点」。つまり「～には目がない」という意味で使います。

好きな食べ物はスパゲティです。

My favorite food is spaghetti.

使いすぎフレーズだと、まるで教科書に書いてある例文をそのまま読んでいる印象があり、あまり感情がこもってない感じがします。ネイティブは食べ物の話をしているのであれば、いちいち food などとは言わずに、〜 is my favorite. というシンプルな言い方をします。

イチオシ! Pasta's my favorite.
ペンネやマカロニなど小麦粉で練ったもの全般を指すときは pasta と言います。

私の好きな食べ物はスパゲティでございます

サーフィンが好きです。

I like surfing.

I like ～で「が好き」という意味ですが、少しあっさりした印象があります。enjoy は「楽しむ」という意味で、I enjoy ～というと、「～することを楽しんでいる」という意味になり、趣味や習い事などを楽しんでいるときによく使います。

イチオシ！ I enjoy going surfing.
I enjoy my work.（仕事を楽しんでいます）のように、趣味以外に使っても OK です。

これもOK My only joy is surfing.
My only joy is ～. は「唯一の楽しみは～です」と言うときに。

カジュアル I'm a big surfer.
a big ～で「大の～好き」と自分の嗜好の強さを表わすときのカジュアルな言い方です。

レッズを応援しています。

I support the Reds.

「サポーター」という言葉もあるため、「応援する」という意味でI support 〜という言い方をする人がよくいます。しかしこう言うと、ネイティブには同じ「応援する」でも「お金を援助している」スポンサーのセリフのように聞こえてしまいます。単に「〜を応援している」と言うときは別のフレーズを使いましょう。

イチオシ I'm rooting for the Reds.
rootは「声援を送る」という意味で、root for 〜で「〜の応援をする」という意味になります。

カジュアル I'm cheering for the Reds.
「チアリーダー」からもわかるようにcheerは「応援する」という意味ですので、cheer for 〜で「〜を応援する」という意味に。

これもOK The Reds is my favorite team.
favoriteは「気に入っている」「お気に入りの」。このフレーズは、お気に入りのスポーツチームの話をするときに便利です。

Part 3
日本国内

ホームパーティー
（外国人の友人宅を訪問・自宅に招待） P.154
外国人観光客との会話　　　　　　 P.170

つまらないものですが。
(おみやげを渡すとき)

It's not an interesting thing.

日本人は手みやげを渡すとき、謙遜して「つまらないものですが」などと言いながら渡しますね。これはネイティブにもなじみのある考え方ですが、そのまま使いすぎフレーズのように直訳してしまうと、「興味深くないものですが」という意味になり、謙遜の意図は伝わらない可能性大なので注意しましょう。

イチオシ! I got a little something for you.
ネイティブが手みやげなどを渡すときによく使うフレーズで、相手も気持ちよく受け取ってくれるはずです。

これもOK! I picked this up on the way.
「来る途中に見つけたんだ」というニュアンスで、相手に気を遣わせない言い方です。

これもOK! This is a just little thing I made.
手作りのものを渡すときはこの言い方が◎。

深い意味はないけど
いちおう謙遜しておこう
It's not an interesting thing.
なんでそんなことを
言うんだろう？

プレゼントです。

(This is a) Present for you.

(This is a) Present for you. だと「これはあなたへのプレゼントです」と単に事実を述べているような言い方で、フォーマルなクリスマスパーティーや誕生日パーティーでうやうやしく渡すようなイメージ。プレゼントを渡すときは「気に入ってくれるといいんだけど」という意味の、I hope you like it. という言い方がよく使われます。

> **イチオシ！ Here, I hope you like it.**
> Here. は「どうぞ」と人にものを差し出すときのひと言。
> I hope you like it. は、「これ、好きだといいんだけど」という意味。

> **カジュアル I heard you like this.**
> 「これ好きって言ってたよね」。

気に入りました。
(プレゼントをもらって)

I like it.

もらったプレゼントが自分の好みのものだったとき、ネイティブはこれでもか！というくらいにオーバーリアクションをします。ですから、何かをもらって I like it. だとちょっとあっさりしすぎの印象があるかもしれません。do を入れるだけで「とっても気に入った！」と感情がぐっとこもった言い方になります。

イチオシ! I do like it! It's nice.
do に力を込めて発音し、喜びを伝えましょう。

これもOK Oh, wonderful! This is just what I wanted.
wonderful は「素敵！」という意味で幅広く使える万能ワード。どんどん使っていきましょう。

プレゼントをもらったら、その場で開けるのがネイティブ流

ネイティブはプレゼントをもらうと、その場で開けて喜びを共有します。日本人は「手みやげなどをすぐに見るのは失礼」という考え方があり、帰ってから開ける人もいますが、「あれ？嬉しくないのかな？」としょんぼりしちゃうネイティブもいるかも。もらったら、その場で一緒に見て、喜びの気持ちを伝えましょう。

手ぶらで来てね。

Don't bring anything.

家に人を招くとき、相手に気を遣わせないために「手ぶらで来てくださいね」と言いますね。これをそのまま英語にしてしまうと、「何も持ち込まないでください」と言っているように聞こえることも。英語でこのニュアンスを伝えるとしたら、Just bring yourself. という言い方のほうがぴったりです。

> **イチオシ！ Just bring yourself.**
> 直訳すると「あなただけが来てくれればいいんですよ」という意味。yourself を your smile にしても OK。

> **これもOK！ Don't worry about bringing anything.**
> Don't worry about 〜で「〜は気にしないでください」という意味。「お気遣いなく」というニュアンスで使います。

「手ぶらでいらしてくださいね」のつもり

Don't bring anything.

持ち込み禁止！！

手みやげについて

ネイティブ定番の手みやげといえば、ワインやちょっとしたお花などです。手づくりのお菓子などを家でつくって持ってくる人もいます。ただ、ホスト側が飲み物や食べ物をたくさん用意している場合もあるので、「何かいる物ある？」なんて聞いてみてもいいでしょう。逆に聞かれたときは、迷わせないために、Maybe you could bring some fruit.（果物だと助かる）などと指定してあげるのも相手への気遣いです。

くつろいでください。

Relax, please.

人を自宅に迎え入れて、くつろいでほしいとき、Relax という言葉が真っ先に思い浮かぶのでは？ Relax, please. という言い方は、興奮している人に「落ち着いて」となだめるときに使うフレーズです。「くつろいでください」と言いたいときは、Make yourself at home. という言い方がネイティブの定番。

イチオシ！ Make yourself at home.
「自分の家だと思ってくつろいで」というニュアンスです。

カジュアル Make yourself comfy.
comfy は comfortable のカジュアルな言い方で、「快適に過ごしてください」という意味になります。

これもOK My house is your house.
「私の家はあなたの家」、つまり自分の家のように楽にしてくださいという決まり文句。

飲み物はいかがですか？

Do you want to drink?

身内や仲のいい人には問題ありませんが、客人に飲み物を勧めるとき、Do you want to drink? だと「お酒を飲みたい？」という意味になります。お酒だけではなく人に食べ物や飲み物を勧めるときにネイティブがよく使うのが、Would you care for 〜 ? という言い回しです。

イチオシ! Would you care for a drink?
for のあとに勧める食べ物や飲み物を続ければ OK!

カジュアル Let me get you something to drink.
クラブやホームパーティーなどで、「何か飲み物をとってくるよ」というときの定番フレーズ。let me 〜 は「〜しますよ」と自分が何かすることを買って出るときの表現です。

これもOK! How about something to drink?
How about 〜 ? は「〜はいかがですか？」と相手に提案するときのフレーズ。

Part 3 日本国内 161

ビールは苦手です。

I don't like beer.

お店や招待された家で、苦手なものを出されたときや好きかどうかを聞かれたときに I don't like ~. と言うと、ちょっとストレートすぎる場合があります。そんなときにオススメなのが I'm not too keen on ~。「~はあまり好きではない」「~にはさほど興味がない」という意味で、I don't like ~. よりも控えめで知的な印象を与えます。

イチオシ！ I'm not too keen on beer.
keen on ~で「~に夢中」という意味。

これもOK I'm not a big beer drinker.
a big ~ drinker/eater で好物を述べるときの言い方です。「大好物ではないのです」とさりげなく苦手なことを伝えるときに。食べ物の場合→ I'm not a big tomato eater.（トマトは苦手で）

カジュアル Beer is kind of...<苦しい顔>...for me.
親しい相手であれば、ちょっと苦手な顔をすれば察してくれるはずです。

この方は〜さんです。
（人を紹介するとき）

This is Ken Ito.

人を紹介するときの基本形は、This is ＜名前＞. で OK です。ただ名前だけ紹介されてもピンと来ないかもしれないので、それにちょっとした情報を加えてあげると、紹介された側も会話を展開しやすくなります。イチオシフレーズのように、This is のあとに自分との間柄などをはさんでから名前を言うと親切です。

イチオシ！ This is my former co-worker at ABC, Ken, Ken Ito.

former co-worker は「かつての同僚」。名前の区切りがわかるように、ファーストネームを繰り返すといいでしょう。さらに He's a big baseball fan. なんて続けると◎！

これもOK！ Let me introduce you to a former co-worker of mine, Ken, Ken Ito. He likes to go mountain climbing.

Let me introduce you to 〜.「あなたに〜を紹介させてください」。

趣味はなんですか？

What's your hobby?

趣味の話で相手との共通点が見つかり、より親しくなれることがよくあります。ですから、こちらから質問するのはとてもよいことなのですが、ついつい言いがちなのが What's your hobby? です。これだと少し限定されたような言い方になるので、下のイチオシフレーズのような聞き方のほうが答えにも広がりが出てオススメです。

イチオシ！ What do you do on the weekends?
「週末は何をしているの？」という意味です。

これもOK！ What are your interests?
interest で「興味」「関心」という意味なので、いま気になることを聞くことができます。「何にハマっている？」と聞きたいときは What are you into?。

相手を知るための質問

ネイティブは相手を知るために、What do you do in your free time? や What do you do when you're not working? など、「空いている時間（仕事以外の時間）は何をしていますか？」という聞き方をよくします。また、What do you do to relax?（リラックスするために何をしていますか？）という質問もよくします。距離を縮めたい相手がいたら、暇な時間をどう過ごしているか聞いてみましょう。

趣味はスノーボードです。

My hobby is snowboarding.

My hobby is ～. でも間違いではありませんが、ネイティブは「私の趣味は～です」というまじめな言い方よりも「～するのが好きです」という言い方で自分の趣味を伝えます。オススメのフレーズは～ is my thing。「～ときたら私です」というように、ちょっとユーモラスに自分の得意分野を伝えることができます。

> **イチオシ！ Snowboarding is my thing.**
> この thing は「得意なこと」という意味。my thing で「自分の得意分野」を表わします。

> **カジュアル I'm a big fan of snowboarding.**
> a big fan of ～で「～の大ファン」という意味。人にもモノにも使えます。

> **これもOK Snowboarding is my life.**
> ～ is my life. で「～命」というニュアンスで、自分がハマっている趣味に対して使えます。life の代わりに、religion（宗教）でも OK。

Part 3 日本国内

パンづくりに興味があります。

I'm interested in making bread.

I'm interested in ～. は「～に興味があります」という意味ですが、「興味があるだけでまだ実際にはやってはいない」という印象を受けます。興味があってすでにやっているのであれば、「夢中になる」という意味の be hooked on ～というフレーズがオススメです。

イチオシ! I'm hooked on making bread.
be hooked on ～は「～にハマっています」というニュアンスで、一番興味があることを表わすのにぴったりの表現です。

これもOK! I'm really into making bread.
be into ～で「～に夢中」という意味。名詞もしくは動名詞が続きます。

これもOK! I'm learning how to make bread.
もし何かを習っているのであれば、I'm learning how to ～. という言い方でもいいでしょう。

ゴルフは楽しいです。

Golf is interesting.

日本語の「面白い」という感覚でinterestingをそのまま使ってしまうと、少しニュアンスが違うかもしれません。interestingは「面白み」といった知的好奇心をくすぐるような楽しさを表わします。アクティブな事柄に対する「楽しい！」という気持ちを表わすにはfunがオススメです。

イチオシ！ Golf's a lot of fun.
～ is a lot of fun. で「～はとても楽しい」。

カジュアル Golfing is fun!
～ing is fun! で「～することは楽しい！」という意味。カジュアルなシーンでよく使います。

これもOK！ I'm not very good at it, but I love golfing.
I'm not very good at it, but I love ～は、「うまくはないけど好きなんです」と謙遜して言うときに使えるフレーズです。少し長いですが、自慢が苦手な人には便利なフレーズですので、このまま覚えましょう。

帰ります。

I'm going home.

どこかへ訪問したときの帰り際のひと言。とうとつに I'm going home. と言うと、急に言われたほうは、何か気分を害して「もう帰る」と言っているのかと心配になる可能性があります。シンプルな言い回しでネイティブもよく使うのが I'm off. です。「じゃあ行くね」とカジュアルな言い方になります。

イチオシ！ I'm off.
I'm taking off. でも OK です。また、その場所からどこかへ出かける場合は「行ってきます」という意味で I'm heading off. という表現も使います。

これもOK！ I'll be leaving.
leave で「出発する」という意味ですので、「そろそろ帰ります」という意味に。

カジュアル I'm heading home.
heading home で「帰宅する」という意味。

お会いできて嬉しいです。

I'm glad to see you.

相手に会えて嬉しい気持ちを表わすとき、ネイティブも I'm glad to see you. という言い方をよくします。嬉しい気持ちをもう少し強調したいときは、It's so good to see you. という言い方がオススメ。「会えて本当に嬉しい」という気持ちが伝わります。

イチオシ！ It's so good to see you.
It's を省略した So good to see you. もフレンドリーなあいさつになります。

これもOK！ I'm so glad you came.
I'm so glad ～で「～で嬉しい」という意味。「来てくれてよかった」という意味になります。

カジュアル Glad you could come!
「来てもらえて嬉しい！」というニュアンスになります。

Part 3 日本国内

日本はいかがですか？
(海外旅行で日本に来た外国人に)

Do you like Japan?

日本に来ている海外の人が日本を気に入ってくれたかどうかは気になるところ。ここで Do you like Japan? と聞きたくなる気持ちはわかりますが、「日本は好きですか？ 嫌いですか？」と選択を迫っているようで、Yes. としか答えようがありませんね。ここは How do you like Japan? という質問の仕方がオススメです。

イチオシ！ How are you finding Japan?
「日本はいかがですか？」と日本の印象を聞くときの定番フレーズです。

これもOK！ Are you having a good time in Japan?
have a good time in 〜 で「〜でよい時間を過ごす」「〜を楽しむ」。日本の滞在を楽しんでいるかどうかを尋ねるフレーズ。

これもOK！ I hope you're enjoying your stay.
「日本での滞在を楽しんでいただけると嬉しい」という意味。

ご出身はどちらですか？

Where are you from?

海外旅行などで来日した外国人との会話でよく話題にのぼるのが出身地。Where are you from? は「ご出身はどちらですか？」と聞くときの一般的なフレーズですが、すでに何度も同じ言い方で聞かれていて「またか」と思われるかもしれません。たまには Where did you grow up? といった違うフレーズで話を振ってみましょう。

> **イチオシ！ Where did you grow up?**
> grow up で「成長する」「育つ」。Where did you spend your childhood? も同意表現です。

> **これもOK Where do you call home?**
> 「故郷と呼べるところは？」という意味で、最も長く暮らしたところを聞くときに。

> **カジュアル Which part of England are you from?**
> 国がわかったら、さらにどのあたりか聞いてみるのも Good!

Part 3 日本国内

私も知らないんです。
(外国人観光客から道順を聞かれて)

I don't know.

地図を持った外国人観光客から Do you know how to get to Sensoji? (浅草寺への行き方をご存じですか?) などと突然聞かれることがあります。道順がわからないとき、I don't know. だと言い方によっては無愛想な印象を与えることも。日本にいい印象を持ってもらうためにも、以下のような言い方を覚えておきましょう。

イチオシ! Sorry, I'm not from around here.
自分も地元でなければ、「この土地の人間ではありません」という言い方でもいいでしょう。

これもOK! Sorry, I'm a stranger here.
stranger で「不案内な人」という意味。引っ越したばかりならば、Sorry, I'm new here. という言い方もオススメです。

手で食べないでください。

Don't use your hand.

日本に来ているネイティブに、日本流のマナーを教える機会があるかもしれません。そんなとき、Don't 〜.だと「〜してはいけません」と少しきつい印象がありますので、もう少しソフトな言い方を覚えておきましょう。Maybe you should 〜.であれば「こうしたほうがいいですよ」とさりげなく教えてあげることができます。

イチオシ! Maybe you should use chopsticks.
Maybe you should 〜.で「〜したほうがいいですよ」と断定を避けた遠回しな言い方に。

これもOK! Let's not use our hands.
「〜をするのは（お互い）控えておこう」と自分も含めることで角が立ちません。

ていねい You might want to use chopsticks.
「ひょっとするとこうしたほうがいいかも」と、さりげなく、控えめに相手に提案するときに使えます。

お寿司を食べようよ。

Let's eat sushi.

何を食べるか決めかねている人に提案するとき、日本人は Let's eat 〜. とよく言います。しかし、この言い方は「〜がいいよ！」と「有無を言わさず」という感じがあります。もう少し控えめに提案したいのであれば、You should try 〜. という言い方がオススメです。

イチオシ! You should try sushi.
should は「〜すべき」という意味ですが、「〜したら？」と相手のためを思って提案をするときにも使えます。

これもOK! Why don't you try sushi?
Why don't you 〜? は「〜したらどうですか？」と控えめに提案する言い方。

カジュアル You have to try sushi. It's great!
have to 〜も「〜しなさい」という意味ですが、相手に気軽にものを勧めるときにも使って大丈夫。have に力を込めて元気に言えば「絶対〜がオススメだよ！」という意味に。

Part 4
ビジネス

電話・メール	P.176
アポイント	P.184
来客対応	P.189
職場での会話 (対上司・対部下・対同僚)	P.194
商談・交渉	P.212
会議	P.220

どちらさまですか？

Who's speaking? / Who are you?

電話に出て相手がいきなり話しはじめてしまったとき、まずは名前を聞く必要があります。Who's speaking? は「誰が話してるの？」、Who are you? は「あなた誰？」というニュアンスで、「どちらさまですか？」と聞くときには不適切。May I ask who's calling? は決まり文句ですので、このまま覚えてしまいましょう。

イチオシ！ May I ask who's calling?
May I ask 〜? で「〜をうかがってもよろしいでしょうか？」と丁寧にお願いするときの表現。

これもOK I'm sorry, may I ask your name?
ask を have にしても OK。また、I'm sorry（失礼ですが）と前置きしてから、you're 〜（あなたは……）と余韻を残すように言えば、相手も気づいて名乗ってくれるはずです。

会社名を聞くとき

相手が名乗ったところで、どの会社の人かわかりかねるときは、Robert Brown with which company? という言い方で聞くことができます。最初に I'm sorry, などと断るのをお忘れなく。

誰につなぎましょうか？

Who do you want to speak?

電話を受けて、誰につなぐかを相手に尋ねるとき、Who would you like to talk to? が丁寧な言い方になります。Who do you want to speak? だと、「誰と話したいの？」と少し無愛想な印象を与えてしまいます。また、文法的には speak のあとには with が必要です。

イチオシ！ Who would you like to talk to?
さらに丁寧に言いたいときは、talk to を speak with に。

これもOK! May I ask whom you're looking for?
whom you're looking for で「お目当ての人」という意味で、相手が話したい相手を聞くときに。

これもOK! With whom are you trying to reach?
reach で「連絡をとる」。

Part 4 ビジネス

少々お待ちください。

Please wait.

電話の取り次ぎで相手に待ってもらうとき、Please wait. と言ってしまうと「待て」と言っているように聞こえます。顔が見えないぶん、電話では誤解を極力避けたいもの。Hold on, please. であれば「お待ちください」という意味になります。

イチオシ Hold on, please.
電話を取り次ぐときや、少し待ってもらうときの定番表現。

これもOK Please hold the line.
hold the line で「回線を保つ」。「切らずにそのままお待ちください」というときに使います。

これもOK Could you hold for just a moment?
hold for just a moment のほかに hold on a second/moment などでも OK。

復唱してもいいですか？

May I repeat that?

May I ～? はかなりへりくだってお願いするときの表現ですので、「ちょっと～させて」という場面で使うには少しおおげさすぎるかもしれません。ここは「～させてください」と積極的に申し出るときの Let me を使って、Let me repeat that. という表現がとても自然です。

イチオシ！ Let me repeat that.
「では、繰り返させていただきます」というニュアンス。

カジュアル Again, ～ .
Again と言ってひと呼吸おいてから、繰り返します。

これもOK Allow me to repeat that.
Allow me to ～. で「～することを許してください」「～させてください」という意味。

聞こえていますか？

Are you listening?

Are you listening? は上の空の相手に対して「私の話をちゃんと聞いてるの？」と言うときに特に使うフレーズです。電話で相手に自分の声が聞こえているかどうか確認するとき、ネイティブは Are you still there? という言い方をします。「まだそこにいる？」と相手と電話がまだつながっているかどうかを確認するための定番フレーズです。

イチオシ！ Are you still there?
相手が無言で不安になったときなどに、「聞こえていますか？」という意味で使います。

カジュアル Hello? Hello?
日本語の「もしもし」と同じ意味で、自分の声が聞こえているかを確認するときにも使えます。質問文のように語尾を上げる感じで言うのがポイントです。

これもOK Have I lost you?
lost you は「電話が切れた」。1回切れて掛け直す場合には、Sorry, I lost you. がよく使われます。

今話しても大丈夫ですか？

Are you busy now?

Are you busy? は「暇にしている？」というニュアンスが含まれているようにとられる場合もあります。電話などで「今話しても大丈夫ですか？」と言うときは、Is this a good time to talk? というフレーズがオススメ。相手も都合が悪ければ Later would be better.（あとのほうが都合がいいです）などと言いやすくなります。

イチオシ！ Is this a good time to talk?
a good time to ～で「～するのに都合がいい時間」という意味。

カジュアル Can you talk now?
「今話せる？」とカジュアルな言い方になります。親しい相手に使います。

これもOK！ Did I call at a bad time?
別の電話が鳴っていたり、誰かが話しかけているなど、相手が忙しそうなときの決まり文句。直訳は「悪いときにかけました？」で、「今お忙しそうですね」というニュアンスです。

Part 4 ビジネス 181

メールありがとうございます。

Thank you for your e-mail.

メールをもらってお礼を言うというシチュエーションはよくあります。そんなとき、Thank you for your e-mail. でも問題ありませんが、「メールをありがとうございました」と、それこそメールの件名のようなそっけない印象があります。自分のメールに対する返信をもらったのであれば、Thanks for your reply. という言い方がオススメです。

イチオシ！ Thanks for your reply.
reply は「返事」。「お返事どうもありがとう」というニュアンスです。もし相手からの問い合わせへのお礼を言うなら、Thank you for your inquiry. でも OK。

これもOK！ Thank you for your prompt reply.
返事を早めにくれた場合は、prompt を使って、「さっそく返事をありがとう」と言ってもいいでしょう。

カジュアル It was good to hear from you.
「連絡をもらえてよかった」という意味で、メールなどを寄こしてくれたことへの嬉しい気持ちを伝えることができきます。

聞こえづらいのですが。

(接続が悪くて)

I can't hear you.

I can't hear you. だと「あなたの声が聞こえません」と相手に非があるように伝わる可能性もあります。また、まったく聞こえないようなときに使うフレーズです。catch も聞き取るという意味があり、I didn't catch that. であれば「そこ(ある一部分)が聞こえませんでした」という意味になります。

イチオシ I didn't catch that.
catch は「捕まえる」のほかに「聞き取る」という意味があります。自分に非があるというニュアンスが出ます。

これもOK I'm having a hard time hearing you.
have a hard time 〜ing で「〜しづらい」という意味。have a hard time falling asleep で「なかなか寝つけない」。

これもOK Could you talk a little louder for me?
もう少し大きい声で話してもらうようにお願いするときのフレーズです。

Part 4 ビジネス 183

いつがよろしいですか？
(日程の都合を聞く)

When is good?

相手の都合を聞くときに便利なのが、「都合がよい」という意味を持つ convenient を使った When's convenient for you? というフレーズです。日本語をそのまま英語にして When is good? と言うのは不自然。When is good for you? ならば OK ですが、これも親しい相手に使う表現です。

イチオシ！ When's convenient for you?
「月曜日の都合はいかがですか？」と具体的に聞くときは
Is Monday convenient for you?

これもOK！ When would be good for you?
be good for ～で「～にとって都合がいい」という意味。
would be を使うことで丁寧さが加わります。

カジュアル When can we meet?
親しい人なら「いつなら会える？」というニュアンスの
このフレーズでも OK。

5時なら都合がいいです。

Five o'clock is okay.

都合のいい時間を聞かれて、こちらの希望を伝えるときは、〜 would be great. という言い方をよくします。would の前に希望の日時を入れて、「〜なら都合がいいです」という意味になります。〜 is okay. だと、「5時ならいいけど」というニュアンスです。

> **イチオシ! Five o'clock would be great.**
> great の代わりに perfect を使っても OK です。

> **これもOK Five o'clock would be convenient for me.**
> 〜 would be convenient for me. で「〜でこちらは大丈夫です」という意味。

> **カジュアル Five is fine by me.**
> 〜 is fine by me. で「〜でオッケーです」という意味。上のフレーズは「5時でいいよ」というニュアンス。

Part 4 ビジネス

木曜日にお越しいただけますか?

Can you come on Thursday?

Can you come on Thursday? は「木曜日に来られるの? 来られないの?」と聞いているようで、クライアントに対して使うにはちょっと失礼です。ここは丁寧な依頼の仕方、Could you ～? の出番。Could you come on Thursday? で、「木曜日にお越しいただけますか?」とぐっと丁寧な印象になります。

イチオシ! Could you come on Thursday?
日にち、曜日には come on ～、時刻のときは come at ～ で「～に来る」。

これもOK! Do you think you could come on Thursday?
Do you think ～? は「いかがでしょうか?」と相手に判断をゆだねる感じがして Good!

これもOK! I'd like you to come on Thursday, if you can.
if you can で「もし可能ならば」というニュアンスが加わるので、相手に断る余地を与える言い方です。

打ち合わせを取り止めに しなければなりません。

I have to cancel the meeting.

使いすぎフレーズの言い方だと、ただキャンセルしなくてはいけないことを一方的に告げているだけで、申し訳ない気持ちは含まれていません。I'm afraid というフレーズで切り出すと、「申し訳ありませんが……」と以下に続く事柄を申し訳なく思う気持ちが伝わります。

イチオシ！ I'm afraid we need to cancel the meeting.
I'm afraid we need to ~. で「申し訳ないのですが、私たちは~せざるをえません」という意味に。

これもOK！ We're sorry for the trouble, but the meeting has been canceled.
We're sorry for the trouble, but ~. は「ご迷惑をおかけしてすみませんが」というときの決まり文句です。

ていねい The meeting has been canceled. We apologize for the inconvenience.
apologize for the inconvenience は「ご不便をおかけして申し訳ありません」というとても丁寧な謝罪表現。

お会いできるのを心より楽しみにしています。

I look forward to seeing you.

I look forward to seeing you. は、「お会いするのを楽しみにしています」と言うときの一般的な言い方です。楽しみな気持ちを強調したいときは、I can't wait というフレーズを使った言い回しがオススメ。「待ちきれない」という気持ちが伝わります。例) I can't wait to go to the concert.（ライブに行くのがとても楽しみです）。

イチオシ! I can't wait to see you!
「待ちきれない」、つまり会うのがとても楽しみだということ。

これもOK I look forward to finally meeting you.
「とうとう」という意味の finally を加えるだけで、「やっとお会いできます」というニュアンスが出ます。

これもOK I'm excited about our meeting.
I'm excited about ～. で「～をとても楽しみにしている」という意味。

コートをお脱ぎください。

Please take off your coat.

来客時、お客様のコートなどを預かる場合は、Let me take your ~ for you. という言い方がよく使われます。使いすぎフレーズの Please take off your coat. だと、「コートを脱いでください」と相手にコートを脱ぐことを催促するような言い方になってしまいます。

イチオシ！ Let me take your coat for you.
for you を加えることで、上品な響きになります。

これもOK！ Take off your coat, if you'd like.
文末に if you'd like をつけると、「よろしければ」というニュアンスが加わります。

カジュアル You can take off your coat.
You can ~. は、You can take a break.（ひと休みしてもいいからね）などと相手のためを思って気軽に提案するときの表現です。

おかけください。

Sit down, please.

please がついているので一見丁寧な言い方に見えますが、実は母親が子供に「ご飯ができたから座りなさい」と言うときによく使うフレーズ。したがって、身内以外に使うと失礼に感じる人もいるので要注意です。

イチオシ！ Have a seat.
「おかけください」と丁寧に椅子を勧めるときの表現です。

ていねい Would you care to sit?
Would you care to ～? で、「～しませんか？」と相手に提案をするときの丁寧な言い方。

はじめまして。お会いできて嬉しいです。

Nice meeting you.

初対面の相手との最初のあいさつの場面で Nice meeting you. と言う人がいますが、これは間違い。なぜなら、Nice meeting you. は話が終わって帰り際に「お会いできてよかったです」という意味で使う言葉だからです。初対面のときの最初のあいさつでは、定番の Nice to meet you. が無難です。

ちなみに、「お会いできてよかったです」の別の言い方としては、It was good to meet you. や、Good meeting you. がよく使われます。また、I enjoyed talking with you, Nancy. というように最後に会った相手の名前を入れると、より心のこもったあいさつになります。

イチオシ！ Nice to meet you.
「はじめまして」はこの定番フレーズで問題なし。

---

meet と see の違い

meet は基本的に初対面の相手に使います。会うのが二度目以降の相手に対しては meet ではなく see を使って、It's nice to see you again.（またお会いできてよかったです）などと言います。

Part 4　ビジネス

遅れて申し訳ありません。

Sorry, I'm late.

自社を訪ねてきたお客様を待たせてしまったとき、Sorry, I'm late. と自分が遅れたことを謝る人がよくいますが、相手を待たせてしまったことについて謝ることも大切です。I'm sorry to keep you waiting. は「お待たせして申し訳ありません」と言うときの定番表現ですので、このまま覚えてしまいましょう。

イチオシ! I'm sorry to keep you waiting.
keep 〜 waiting で「〜を待たせる」。電話口に出るのが遅れたときにもこの表現で OK です。

これもOK! Thank you for waiting.
Thank you for 〜ing で「〜してくれてありがとう」と相手の好意に感謝するときのお決まり表現です。

カジュアル Hope I didn't keep you waiting.
「待たせていないことを願う」が直訳ですが、「お待たせしてすみません」という意味に。

お名前を失念してしまいました。

I forgot your name.

人の名前を忘れてしまうことはよくあることですが、名前を改めて尋ねるにしても、できるだけ相手の気持ちを害することがないような言い方を心がけたいもの。使いすぎフレーズだとあまりにも正直すぎて悪びれる様子がありません。Please remind me, your name is 〜? という表現を使えば、さりげなく名前を聞き出すことが可能です。相手が名乗ったら、Oh, yeah. That's right!（ああ、そうでしたね！）と言いましょう。

イチオシ！ Please remind me, your name is 〜?

is のあとを濁し気味に言うと、申し訳ない気持ちが伝わるはずです。

これもOK! I'm Taro Suzuki, and you are 〜?

自分の名前を再度名乗り、さりげなく相手が名前を言うようにうながす方法もあります。

Part 4 ビジネス

お時間ありますか？

Do you have the time?

上司と話がしたいときは、まず相手に時間があるか聞く必要があります。Do you have the time? だと「今何時ですか？」という意味になってしまいます。間違いやすいミスですので気をつけましょう。丁寧に「少しお時間いただけますか？」と言うときは、Could I have a few minutes of your time? という言い方が◎です。

イチオシ！ Could I have a few minutes of your time?

a few minutes は「数分」「少しの間」という意味。Do you have a moment? も「お手すきですか？」と聞くときに。

カジュアル Got a minute?

「ちょっといいですか？」という意味のフレンドリーな聞き方。

ていねい I know you're busy, but could I have a few minutes?

I know you're busy, but 〜は、忙しそうにしている人に話しかけるときの切り出しフレーズ。「お忙しいところ恐縮ですが」というニュアンスになります。

ええ、いいですよ。

（上司に何か頼まれて）

Yes, I can.

Yes, I can. は「はい、できます」と可能かどうかを答えているだけという感じで、そこに積極的な姿勢はあまり感じられません。上司から何か頼まれて、それを引き受ける場合には Leave it to me.（私に任せてください）という言い方がオススメ。前向きな姿勢が上司に伝わる言い方です。

イチオシ！ Leave it to me.
it のあとに all を加えると、「どんと任せてください」とさらに強調した言い方になります。

これもOK I'll take care of it.
take care of 〜 で「〜を引き受ける」。快く仕事にあたる姿勢を見せることができます。

これもOK I'd be happy to.
直訳は「そうするのが幸せ」、つまり「喜んでやらせていただきます」という意味。to のあとの動詞は省略されています。

Part 4　ビジネス

あいにく行けません。
(上司に飲みに行かないかと誘われて)

No, I can't.

Noの意思はきちんと伝えなくてはいけませんが、相手からの好意をむげにするような答え方は避けたいもの。ネイティブも意思表示ははっきりしますが、断るときはきちんと言葉を選びます。No, I can't. だと、「行けません」とちょっときっぱりしすぎかもしれません。

イチオシ I wish I could.
I wish I could. は「ぜひ行きたかったのですが(行けない)」という意味で残念な気持ちが伝わります。

これもOK I'm afraid I can't.
I'm afraid ~は「あいにく」と、断ることに対する申し訳ない気持ちが伝わります。

これもOK I'll have to pass this time.
「今回はやめておきます」という意味。次は行きたい、という余韻が残ります。

これでいいですか?

Is it okay?

Is it okay? は出来栄えに自信がなくて「これで大丈夫でしょうか?」と相手におうかがいを立てるイメージです。相手が自分の意見や提案に満足しているかどうか尋ねるとき、ネイティブは Does that work for you? というフレーズをよく使います。同僚や親しい人に「これで異存ない?」と念を押すような言い方になります。

イチオシ！ Does that work for you?
「これでいいですか?」と確認するときに。この work は「うまくいく」という意味。that の代わりに this でも。

これもOK! Does that suit you?
「それでよろしいですか?」という意味。suit を answer にすると「これで答えになっていますか?」。ビジネスの場面でよく使われるフレーズです。

カジュアル Are you okay with that?
be okay with ~で「~でかまわない」「~を了承する」。

Part 4 ビジネス

これは合ってますか？

Is this correct?

合っているかどうか相手に確認するとき、Is this correct? だと「これ合ってるの？」と懐疑的なニュアンスになり、少しストレートすぎるかもしれません。こんなとき、Just to make sure という言葉で切り出すと、クッション言葉となってやんわり伝わります。相手を責めることなく、確認できるのでオススメです。

イチオシ！ Just to make sure, is this correct?
Just to make sure で「あくまでも念のため確認させてもらうけど」という意味。さりげなく確認したいときに。

これもOK! Just checking, but are you sure?
「ちょっと確認しますが、確かですか？」という意味。語尾を軽めに言うと、相手に非があるようには伝わらなくて無難です。

ていねい This is the right file, isn't it?
「このファイルで合っていますか？」という遠回しな聞き方。

よくやった！

Good job!

Good job! は、相手の功績や仕事ぶりを「よくやった！」とねぎらうときによく使う表現です。ただ、毎回この表現ばかりでは気持ちがこもっていないように思われる恐れがあります。ほかにもいろいろなバリエーションがありますので、覚えておいて、よい働きをしてくれた人のことはどんどんほめましょう。

イチオシ Well done!
「よくできました！」というニュアンスで、出来栄えのよさなどをほめるときに使います。Well done のあとに、相手の名前を続けてもいいでしょう。

カジュアル You did it!
直訳だと「あなたはやった！」ですが、相手がよい結果を出したときなどに使います。

これもOK Way to go!
人が何かよい成績を収めたり、成功したりして、「やったじゃない」とほめるときに使います。

遅れないでね。

(遅刻してきた相手に)

Don't be late again.

会議に遅刻してきたり、待ち合わせに遅れた人にはひとこと言っておきたいものです。ただ、Don't be late again. とそのまま直訳で言ってしまうと、「もう絶対に遅れんなよ」ときつく言い聞かせる感じになってしまいます。「〜しないでね」とソフトに相手に注意したいときは Try not to be 〜というフレーズが最適です。

イチオシ！ Try not to be late again.
Try not to 〜. は「〜しないように気をつけて」というニュアンス。Buy me coffee if you're late again.（今度また遅れたらコーヒーをおごってもらうよ）なんてくだけた言い方も Good!

カジュアル Come on, don't be late again.
仲のいい同僚であれば、「頼むよ〜」というニュアンスの Come on, で切り出しても OK。

これもOK! We need to be careful about being late.
同僚であれば、「遅刻には気をつけないとね」と忠告してあげてもいいでしょう。

田中さんに相談してみて。

Talk to Mr. Tanaka.

何か質問されて、自分では判断がつかない場合、それがわかる人に話をふらなくてはいけませんね。「○○さんに相談してみて」と提案するとき、Talk to Mr. ○○. だと「○○さんに相談しなさい」とちょっと命令口調っぽい響きがあります。ソフトに提案したいときに便利なのが Why don't you ~? というフレーズです。

イチオシ Why don't you talk to Mr. Tanaka?

Why don't you ~? の直訳は「どうして~しないの?」ですが、「~したらいいよ」「~したらどう?」という意味で使われます。親しい相手のためを思って提案するときのフレンドリーな言い方です。

これもOK You might want to talk to Mr. Tanaka.

You might want to ~. で「~するといいですよ」と提案するときの表現。

この資料を見たほうがいいよ。

You had better read this material.

相手のためを思ってアドバイスをするとき、You had better ~. と言ってしまうと、「~すべきです（さもないと……）」と、それをしないとネガティブなことが起きるかのように聞こえる危険性大。通常、You'd better go now or you'll be late for school.（もう出ないと遅刻するよ）といった使い方をするからです。

イチオシ！ Maybe you'd better read this material.
Maybe をつければ、「~したほうがいいんじゃない？」「~したほうがいいと思うよ」とやわらかなニュアンスに。

これもOK! You could read this material.
You could ~. で「~してもいいかもね」とさりげなくアドバイスをするときに使えます。

カジュアル How about reading this material?
How about ~ing? で「~したらどう」「~したらいいんじゃない？」と提案するときに。

がんばって！

Good luck!

Good luck! は「幸運を祈るよ」という意味でネイティブも実際によく使うフレーズですが、同じくよく使われるのが I've got my fingers crossed. というフレーズ。指で十字を作ることが幸運を願うジェスチャーであることからきている慣用句。指を交差させながら言えたらパーフェクト！

イチオシ！ I've got my fingers crossed.
「幸運を祈っています」という意味で、相手を励ますときに。

これもOK Go for it!
「行け！」「ぶちかましちゃえ！」というニュアンスで、何かの目標に向かって進んでいる人に追い風を送るような励まし言葉。

カジュアル Break a leg!
「足を折れ」が直訳ですが、不吉なことを言うことで、反対に成功を祈る気持ちを表わします。発表会やプレゼンなど、人前で何かを披露する前の人にかける定番文句。

私に聞いてください。

Ask me.

説明などをしたあとに、「もし何かあれば私に聞いてください」とひと言添えると親切ですね。Ask me. は仲のよい友人に対してであれば問題ないのですが、ビジネスの場面ではちょっとそっけない印象があります。このようなときに便利なのが、「お知らせください」という意味の Let me know を使ったフレーズです。

イチオシ！ Let me know if anything comes up.
Let me know if 〜. で「もし〜であればお知らせください」。ほかに Let me know if you need help.（手伝いが必要であればお知らせください）。anything comes up は「何かあれば」という意味。

カジュアル You can ask me anything.
「なんでも聞いてくださいね」とフレンドリーな言い方になります。

これもOK！ I welcome your questions.
welcome は歓迎を表わす単語ですので、「質問は大歓迎です」という意味に。相手も気軽に質問できるような言い方です。

本当ですか？

Are you sure?

信じられないような話を聞いたときには、疑っていなくても思わず「それ本当？」と驚きの声が出ますよね。Are you sure? といぶかしげな顔で言ってしまうと、人によっては本気で疑っているようにとられてしまうかも。sure を certain に変えるだけで、「それ本当？」と驚いたときに使う自然な言い方になります。

> **イチオシ！ Are you certain?**
> certain で「確かな」。

> **これもOK For real?**
> Are you for real? の略。相手の発言に驚き、思わずもれるひと言です。

> **カジュアル Are you positive?**
> この positive は「確かな」という意味ですので、Are you positive? で「それは確か？」。

どうしたんですか?

What's wrong?

相手が納得していない表情だったり、様子がおかしいとき、なんと声をかけますか? What's wrong? と聞く人が多いのですが、これは不機嫌な態度を取っている人に対して「何が気に入らないの?」とちょっと責める感じで使う場合が多いのです。このようなときは Is everything okay? という少し遠回しな言い方がよく使われます。

イチオシ Is everything okay?
「すべてうまくいってる?」という意味。

カジュアル What's eating you?
この eat は「イライラさせる」「悩ます」という意味で、「何があなたをイラだたせているの?」。

ていねい Would you like to talk about something?
明らかに悩んでいる様子の相手には「ちょっと話そうか?」と声をかけるのが一番。話したい人は相談でき、話したくない人は I'm all right. などと言って具体的に話すことを避けるからです。

元気出して。
（ミスをして落ち込んでいる同僚に）

Don't worry.

ミスして落ち込んでいる同僚や部下を励ますとき、ネイティブはよく We all make mistakes. という表現を使います。「誰にでも間違いはあるよ」というニュアンスで、相手を肯定して励まします。安心させてあげる材料が何もないのに Don't worry.（心配ないよ）と言うのは少し無責任に聞こえるかもしれません。

イチオシ！ We all make mistakes.
自分も同じ目線で「失敗は誰にでもある」というニュアンス。Nobody's perfect. も同意表現。

これもOK You can't win them all.
「すべてに勝つことはできない」が直訳で、「たまには負けることもあるさ」というニュアンス。

カジュアル Keep on trying.
「あきらめないで」というニュアンス。弱気になっている同僚や部下を励ますときによく使います。

Part 4　ビジネス

疲れているんじゃない？

You look tired.

激務に追われて疲れ果てている同僚を見かけたら、「お疲れのようですね」と声をかけますね。そのまま英語にして You look tired. と言ってしまうと、「ひどい顔してるよ」と言っているようで、特に女性には失礼かもしれません。You must be tired. という言い方であれば、誰に対しても使えるのでオススメです。

イチオシ！ You must be tired.
「あなた疲れているに違いないわ」と、疲れている人を気遣うひと言。「ちょっとお疲れ気味ね」というニュアンスです。

これもOK！ You worked hard today.
「今日はよく働いてたよね」と相手の労をねぎらう言い方。

これもOK！ You need to take a rest.
「休んだほうがいいよ」とアドバイスするときに。

You deserve a rest.

deserve a rest は直訳で「休むに値する」つまり、「よく働いたのだから、休んで当然だ」という意味になり、がんばりすぎの人を思って忠告することができます。

「お疲れ様♥」のつもり

You look tired.
（君、ひどい顔してるよ！）

いいね。
（人をほめるとき）

You're good.

ネイティブは惜しむことなくほめます。ほめるフレーズはたくさん持っておきましょう。You're good. は何かをしている人に対して「上手だね」と言うときの表現。その人自身をほめるときは、「素晴らしい」という意味のamazing を使った You're amazing. がオススメ。「たいしたもんだ」と相手を思いきりほめるひと言です。

イチオシ! You're amazing.
同じく「さすがだ」という意味の類似表現に You're brilliant. があります。

これもOK I know you can do it.
「君ならやってくれると思っていた」という意味。少し前の出来事であれば I knew you could do it. となります。

カジュアル I'm counting on you.
「頼りにしているよ」という意味。相手を信頼する気持ちが伝わります。

もう切り上げましょう。

Let's finish.

「もう終わりにしましょう」をそのまま英語にするとLet's finish. ですが、この言い方だと「最後まで完成させちゃいましょう」という意味で、まだ作業などが途中であれば切り上げることにはなりません。「今日はひとまずここで切り上げましょう」と言うときは Let's finish up here. と言います。

イチオシ！ Let's finish up here.
finish up で「片づける」という意味。finish up (one's) work で「〜の仕事を終える」。

これもOK Let's call it a day.
「そろそろ切り上げましょう」「帰りましょう」と言うときの定番フレーズ。

これもOK It's getting late, so ...
「もう遅いしそろそろ…」と帰宅をうながす言い方です。

Part 4　ビジネス

少し考えます。

I'll think about it.

商談のあとや誰かに話を持ちかけられて即答できないときは、考える時間が必要です。そんなときに I'll think about it. と言うと、「考えておきます」「検討しておきます」というニュアンスで、遠回しに断るときの決まり文句になってしまいます。真剣に検討する気持ちがあるときは Let me think about it. という言い回しをよく使います。

イチオシ! Let me think about it.
let me ~で「~させてください」と、相手に自分の行動の許可を得るときの表現。

これもOK! Let me give it some (serious) thought.
give ~ some thought で「~について検討する」という意味。

これもOK! I need some time to think it over.
「じっくり考えさせてください」と真剣な気持ちが伝わる言い方になります。

お任せします／あなたが決めてください。
(何かを決めるとき)

Please decide. / You must decide.

Please decide. は、なかなか決まらないときに「さっさと決めて」というニュアンスで使うことが多いので、ビジネスの場面ではちょっと不自然。また、You must decide. だと「あなたが決めるべき」と判断を押しつけているように聞こえます。この場合は I'll leave it up to you. と言えば、その件に対する判断や今後の進行も含めすべて相手に任せる、という意味になります。

イチオシ！ I'll leave it up to you.
「あなたにお任せします」と、相手のことを信頼して任せるときに使うフレーズ。leave … up to 〜 は「〜に…を任せる」という意味。

これもOK! It's up to you.
「あなた次第です」という意味。日程や場所などを決めるときによく使います。

これもOK! It depends on you.
depends on 〜で「〜にかかっている」「〜によって決まる」という意味で、相手に判断を任せるときのフレーズ。

満足です。

(製品の出来などを聞かれて)

I'm satisfied.

製品の出来栄えや仕事ぶりなどをほめるとき、「満足した」というニュアンスで satisfy を使うときは要注意。I'm satisfied. と言うと「まあこんなもんだろう」と妥協のニュアンスが含まれ、「許容範囲」にとどまるのでほめ言葉にはならないのです。I'm more than satisfied. と言えば、「これ以上の満足はない」という最高の賛辞になります。

イチオシ! I'm more than satisfied.
I couldn't be more satisfied. も同じく「これ以上ないくらい満足している」という意味。

これもOK! This is great.
「これは素晴らしい」と、相手の働きぶりをほめるときの定番フレーズ。

これもOK! This is nicer than I had expected.
expect は「予想する」という意味ですので、「予想以上の出来です」とほめるフレーズです。

カジュアル You did a great job.
「素晴らしい仕事をしてくれたね」と相手の働きに満足していることが表わせます。

カジュアル Good job!
Well done! や You did it! も同意表現。

満足しました!! と言っているつもりが…

I'm satisfied.
（まあ、こんなもんだろう）

Part 4　ビジネス

それでよいです。
(相手の提示した条件に満足したとき)

All right.

商談などで相手が提示してきた条件をのむとき、All right. だと「まあそれでいいか」というニュアンスで、「かろうじて OK」という印象を与えます。相手の条件を積極的に受け入れるときには、Fair enough. という表現がオススメです。

イチオシ！ Fair enough.
「十分に公平だ」が直訳で、転じて「それで文句はありません」と納得したことを表わすひと言に。

これもOK! That sounds reasonable.
reasonable で「理にかなっている」という意味。

これもOK! Sounds about right to me.
「私はいいと思います」と相手の意見を受け入れるときに使います。

それは不公平です。

That's so unfair.

That's so unfair. は、ただ感情的になって「不公平だわ！」と不満を述べている感じです。イチオシフレーズの That doesn't seem fair. のほうは、感情を抑えて慎重に言葉を選んでいる印象を与えます。大人の余裕が感じられる言葉遣いと言えるでしょう。

イチオシ! That doesn't seem fair.
「それでは不公平では？」とやんわりと伝えるイメージです。

これもOK! Maybe we should try to be fair about this.
try to be fair で「公平であるように努める」という意味。

これもOK! This might not be equitable.
might be も seem 同様に「〜のようです」と語調をやわらげることができます。equitable は「公平な」「公正な」という意味です。

お返事お待ちしています。

Please send me your reply.

打ち合わせなどを終えて、「ではご連絡お待ちしております」などと言って別れることがありますね。その場合、Please send me your reply. だと「返事をくださいよ」とやや上から目線で物を言っているように聞こえることもあります。返事がほしいときは、I'm looking forward to your reply. というフレーズがよく使われます。

イチオシ！ I'm looking forward to your reply.
I'm looking forward to 〜. で「〜を楽しみにしている」。楽しみに待つというニュアンスが含まれます。

カジュアル I'm waiting on your reply.
何度かやり取りしている親しい人に「では、返事お待ちしていますね」とフレンドリーに言うときに。

ていねい I'll be waiting for your reply.
I'll be waiting for 〜. で「〜をお待ちしております」という意味。丁寧な言い方です。

上司に連絡するよう伝えておきます。

I'll tell my boss to call you.

I'll tell my boss to call you. だと「上司に電話をするように言っておきます」という意味ですので、「ただ伝えるだけ？」と思われる可能性もあります。このような場合はシンプルに My boss will call you. と言えば、「あとからボスから連絡がいく」ということが相手に伝わります。

> **イチオシ** **My boss will call you.**
> give 〜 a call で「〜に電話をする」という言い方も。

> **これもOK** **I'll have my boss call you.**
> I'll have 〜 call you. で「〜に電話をさせる」。

> **ていねい** **My superior will follow up later.**
> follow up で「追って〜する」という意味。superior も boss と同じく「上司」という意味です。改まった言い方になります。

Part 4 ビジネス

さあ始めましょう。

(会議などで)

Let's start!

会議の開始を告げるとき、Let's start! は社内であれば問題ありませんが、初めて顔を合わせるクライアントなどには少しくだけすぎているかもしれません。時間を知らせるとき、ネイティブは It's time! という言い方をよくします。ほかにも、出かける時間、食事の時間、寝る時間を知らせるときなどにも使えます。

イチオシ! It's time!
It's time for the meeting. などの略。

これもOK! Should we get started?
会議を始める雰囲気になったとき、「そろそろ始めましょうか」というニュアンスで使います。

カジュアル Let's get going.
get going は「出発する」という意味ですが、「(仕事などに) とりかかる」「(会議などを) 開始する」という意味もあります。

あなたの意見を聞かせてください。
What's your opinion?

会議や打ち合わせで相手にも意見を出してもらいたいとき、つい What's your opinion? と言ってしまいがちです。しかし、これだと言い方によっては「あなたの意見を今すぐに言って」と相手をせかすようなニュアンスがあるので、クライアントや目上の人には失礼に聞こえることも。

イチオシ！ Do you have any comments on this?
「何かご意見ありますか？」という意味で、相手に意見を乞うときの決まり文句です。this のあとに議題の対象を入れても OK。
例）Do you have any comments on this proposal?
（この企画に対して何かご意見はありますか？）

これもOK！ Could I get your input on this?
input には「考え」「アドバイス」という意味もあります。

これもOK！ I'd like to get some feedback on this.
「この件に関してのフィードバックをお願いします」というニュアンス。

〜だと思う。

I think 〜.

自分の意見を述べるとき、I think ばかり使っていませんか？ ずっと I think 〜. I think 〜. と繰り返していると、「私は〜だと思う。私は〜だと思う」と自己主張をし続けているようで、聞いているほうはくどく感じることもあります。ほかにも自分の考えを述べるときの切り出しフレーズはありますので覚えておきましょう。

これもOK！ I suppose 〜.
なんらかの情報や根拠をもとに「〜でしょう」と言うときに使います。

これもOK！ I guess 〜.
根拠はなく、主観的に「〜じゃないかな？」と意見を述べるときに。

これもOK！ I believe 〜.
自分の中では確かな根拠があって、「確か〜なはず」というニュアンスで使います。

(今はまだ)思いつきません。

I don't know.

上司やクライアントから意見を求められたとき、I don't know. だと「わかりません」と考えることをあきらめてしまっていると思われる可能性もあります。「今は思いつかないけど、あとで思いつくかも」というときは、Nothing comes to mind right now. という言い方をします。

イチオシ! Nothing comes to mind right now.
come to mind で「思い浮かぶ」。right now を付け加えることで、「今はまだ」というニュアンスになります。

カジュアル I'm clueless.
clue は「手がかり」「きっかけ」。I haven't got a clue. も同意表現です。合わせて覚えましょう。

カジュアル Who knows?
「やってみないとわからないね」「なんとも言えない」という意味で親しい人同士の会話でよく使われます。

Part 4 ビジネス

おわかりいただけましたでしょうか？

Do you understand?

自分が何か説明しているとき、聞いている人が理解できているかをときおり確認する必要があります。Do you understand? だと「ちゃんとわかってるの？」という意味で、クライアントや目上の人にはちょっと失礼かもしれません。

イチオシ! Am I making sense?
「私の説明は意味を成してますか？」という意味。「もしわからないのであれば私のせい」というニュアンスで角が立ちません。

これもOK! Should I explain that again?
「もう一度説明したほうがいいですか？」という意味。

これもOK! Are you following me?
直訳は「私についてきていますか」という意味。複雑な話のときなどに、1人で突っ走らないよう途中で確認するときに使います。

わかります。
(相手の話に納得しているときのあいづち)

I know.

相手の意見を聞きながら、「わかります」「そうですね」と納得していることを伝えるとき、I know. を連発すると、「はいはい」「わかってるって」というニュアンスになってしまいます。あいづちは通り一遍にならないよう、いろんなバリエーションを使い回せるようにしておきましょう。

イチオシ！ That's what I thought.
「私も同じことを思いました」という意味で、相手の意見に寄り添うときの言い方です。

これもOK！ That's what I heard.
「私もそう聞いています」が直訳で、相手の言っていることを肯定するときに。

これもOK！ That makes sense.
「納得です」「わかります」という意味。

Part 4 ビジネス

賛成していただけますか？

Do you agree with me?

自分に賛成してくれているのかを確認するとき、Do you agree with me? だと相手に「賛成なの？ 賛成じゃないの？」と迫っている印象を与えてしまいます。make sense は「理にかなう」「筋が通っている」という意味ですので、Does that make sense to you? で相手が納得しているかを確認するときに使えます。

イチオシ！ Does that make sense to you?
「ご理解いただけましたでしょうか？」というニュアンス。

カジュアル Are you okay with that?
「これで大丈夫ですか？」というニュアンス。自分が大丈夫なことを伝えるときは I'm okay with that. と言います。

これもOK Are we on the same wavelength?
wavelength は「波長」という意味ですが、「考え方」という意味もあるので、on the same wavelength で「人と考え方が同じ」。wavelength の代わりに page でもOK。

あなたに反対です。

I disagree with you.

反対である意思はきちんと伝えなくてはいけませんが、使いすぎフレーズのような言い方だと、「あなたには同意できません」ときっぱりしすぎていて、取りつく島もない感じです。会議やミーティングはお互いの意見を尊重しあってこそスムーズに運びますので、こういうときこそ言い方に気を遣いましょう。

イチオシ！ I'm not sure I can agree.

「ちょっと賛成できないかな」というニュアンス。I'm not sure で「どうかな」というニュアンスが含まれ、きっぱり感がやわらぎます。

これもOK! Let's look at it another way.

look at 〜 another way で「別の見方をする」。「こういう見方はどうでしょう？」と代案を出すことで、やんわりその意見には賛成できないということが伝わります。

これもOK! I'm afraid, I can't see it that way.

「残念ながら」と切り出すことで、真っ向から相手を否定するニュアンスを避けることができます。

Part 4 ビジネス

それは違うと思います。

I don't think so.

相手に反論するときは、ストレートな言い方になりすぎないように注意することが大切。I don't think so.（そうは思いません）は、ビジネスで使うにはきっぱりしすぎかもしれません。I can't agree. という表現を使うことによって、「歩み寄る努力はしたけど無理だった」というニュアンスになり、相手を全面否定せずに済みます。

イチオシ / I'm afraid I can't agree.
「残念ですが、賛成しかねます」という、丁寧に反論するときの言い回しです。

これもOK / I'm not so sure that's right.
I'm not so sure を使うと「〜とは思えません」と、相手の意見に反論するときの控えめな言い方になります。

これもOK / I don't think that's quite right.
「それは正しいとは思えない」という意味で、遠回しに意見が違うことを伝えるときに。

賛成です。

I agree with you.

会議中、相手の意見に賛成するときは I agree with you. でいいのですが、あまりその繰り返しばかりだと機械的な印象を与えてしまいます。Right you are. は「あなたは正しい」という意味で、相手に積極的に賛成であることを示すときに使います。

イチオシ! Right you are.
「あなたの言う通り」というニュアンス。You're right. でもOK。

カジュアル I'm with you.
「まったくあなたに同感です」と、強く同意を示すときのカジュアルな言い方。

これもOK! I can't argue with that.
argue は「議論する」という意味で、「議論の余地がないほどあなたに賛成です」という意味。

私も（同意見）です。

Me too.

相手と意見や考え方が同じとき、日本人は Me too. とよく言いますが、ネイティブ同士の会議などでよく使われるのは Same here. という言い方です。直訳すると「ここも同じ」ですが、相手の意見に同意するときに「私もそう思います」という意味で使います。

◆チオシ◆ Same here.
「ですねぇ」「同感です」という意味のカジュアルな言い回し。

これもOK I'll second that.
「私もそれに続きます」という意味で、相手の発言への同意を示します。

これもOK Yeah, I know what you mean.
「その気持ちわかります」「そうですよね」というニュアンスで、自分も相手と同じ意見であることが伝わります。

わかりました。

All right.

相手からの依頼に快く答えるとき、All right. を平坦に言ってしまうと、「まあ仕方がない」と妥協したような印象になります。間投詞をつけて Oh, all right. と言えば誤解されずに済むでしょう。また、仕事を快く引き受けるとき、ネイティブがよく使うのは No problem. という言い回しです。

イチオシ Oh, all right.
Oh, と納得したことを表わし、明るいトーンで all right と言うと、快諾している気持ちが伝わります。

これもOK No problem.
「任せてください」「お安い御用です」というニュアンス。

カジュアル Got it.
I got it. の略で、「了解」というニュアンス。ここでの got は「理解した」という意味。

Part 4 ビジネス

私はかまいませんよ。

I'm okay.

何かを決定するとき、その決定でかまわないかどうかを聞かれて異存がないとき、ネイティブは I'm okay with ~.（~でかまいませんよ）という言い方をよくします。I'm okay. は Are you okay? と体調などを人に心配されたときに「大丈夫だよ」という意味で使う言葉で、「私はそれでいいです」と言うときには不自然です。

イチオシ！ I'm okay with that.
「それでかまいません」というニュアンス。

カジュアル I'm cool with that.
cool はスラングで「素晴らしい」「かっこいい」などという意味ですが、出された条件などに「異存がない」という意味もあります。

これもOK I'm fine.
あいさつされて「元気です」と答えるほかにも「それでいいです」と相手の提案などを受け入れるときにも使えます。

いいね！

(アイデアなどをほめる)

That's nice.

That's nice. は相手の何気ない話を聞いて「へぇ、よかったねぇ」と軽く受け流すようなニュアンスがあるので、人のアイデアや功績をほめるにはちょっとパンチが足りないかもしれません。アイデアなどをほめるときは、感嘆詞の What を使った表現がオススメです。

イチオシ！ What an outstanding idea!
outstanding で「傑出した」「抜きん出て素晴らしい」。

これもOK！ That's an interesting idea!
an interesting idea で「興味深いアイデア」という意味で、相手の提案によい印象があることを表わすフレーズです。

これもOK！ I'm impressed!
be impressed は「感動する」「感心させられる」という意味ですので、I'm impressed. で「すごいね」というニュアンス。

Part 4　ビジネス

B案よりA案のほうがいいですね。

Plan A is better than B.

Plan A is better than B. は「B案よりもA案がいいです」と断言し、自分の意見を押し通すような言い方。「～のほうがいい」と言うとき、「私個人の意見としましては」という意味の In my humble opinion, で切り出すといいでしょう。また、わざわざ「B案と比べて」と言わずに「A案のほうがいい」と言うだけのほうがくどくなくて◎。

イチオシ！ In my humble opinion, Plan A is better.
「私見ですが、A案がいいと思います」という意味。

これもOK! Plan A seems a little better.
seems は「～のように思います」という意味で、表現をやわらげることができる便利な言葉です。

これもOK! I'm behind Plan A.
be behind ～で「～を支持する」。I'm behind you.（あなたを支持します）のように使います。

賛成！
（よいアイデアを聞いて乗るとき）

Yes.

相手の提案などに賛成するとき、Yes. のひと言だと、どれくらい賛成しているのか相手はわかりません。「文句なしにあなたに賛成！」と言うときは、I'm 100% with you on this. という表現がオススメです。とにかく大賛成！と前向きな気持ちを表現したいときに。

イチオシ I'm 100 percent with you on this.
be with 〜で「〜に賛成」「〜の味方」という意味。

これもOK I'm on board.
be on board で「船に乗る」という意味ですが、「あなたに賛成」という意味でも使います。

カジュアル You've got my vote.
「私の票はあなたのもの」と相手に賛成する気持ちを表わします。

心配しないで。

Don't worry.

自分が提案したことに対して相手が不安げな顔つきをしたときは、「心配しないで」と相手を安心させないといけませんね。そんなときは、Don't worry. だけではなく、Don't worry about anything. と言えば、「何も心配する必要はありません」という意味になり、相手を十分に説得するひと言になります。

イチオシ Don't worry about anything.
「心配せずに任せておいて」というニュアンス。

これもOK Everything's going to be okay.
「すべてうまくいきますよ」という意味。okay は fine にしても同じ意味として使えます。

カジュアル We'll handle everything.
handle は「問題を片づける」という意味ですので、「きちんと対処できますよ」という意味に。We'll take care of it. も同じニュアンス。

もう終わりにしましょう。

We're finished.

会議などを切り上げるときのひと言も覚えておきましょう。We're finished. だと、話の流れによっては「もうおしまいだ」と絶望感の漂う意味にもとれます。That's about it. は「これで今日やるべきことは全部ですね」という意味で、会議や発言などのまとめの言葉としてよく使われます。

イチオシ That's about it.
「こんなところでしょうか」というニュアンス。

これもOK That's all for today.
all を enough にしても OK です。「今日はこれくらいにしましょう」という意味。

カジュアル It's about quitting time.
quit は「やめる」という意味。もう切り上げる時間だ、というニュアンスになります。

Part 4 ビジネス

著者紹介
デイビッド・セイン（David A. Thayne）
米国出身。カリフォルニア州アズサパシフィック大学で社会学修士号取得。日米会話学院などでの豊富な教授経験を活かし、数多くの英語学習書を執筆。著書に、『英会話「1日1パターン」レッスン』（PHP文庫）、『その英語、ネイティブにはこう聞こえます』（主婦の友社）、『日本人のちょっとヘンな英語』（アスコム）など。現在は、英語を主なテーマとしてさまざまな企画を実現する「エートゥーゼット」を主宰。東京・根津と春日にある、エートゥーゼット英語学校の校長も務める。

〈エートゥーゼットのサイト〉
http://www.english-live.com
〈エートゥーゼット英語学校のサイト〉
http://www.atozenglish.jp/

【執筆協力】
小松アテナ
栗山信輔
Esther Thirimu
（エートゥーゼット）

本書は、書き下ろし作品です。

PHP文庫　日本人が「使いすぎる」英語

2012年8月17日　第1版第1刷
2016年3月1日　第1版第22刷

著　者	デイビッド・セイン
発行者	小　林　成　彦
発行所	株式会社ＰＨＰ研究所

東京本部　〒135-8137　江東区豊洲5-6-52
　　　　　文庫出版部　☎03-3520-9617（編集）
　　　　　普及一部　　☎03-3520-9630（販売）
京都本部　〒601-8411　京都市南区西九条北ノ内町11

PHP INTERFACE　http://www.php.co.jp/

組　版　朝日メディアインターナショナル株式会社
印刷所
製本所　　図書印刷株式会社

©A to Z Co., Ltd. 2012 Printed in Japan　　ISBN978-4-569-67856-6

※本書の無断複製（コピー・スキャン・デジタル化等）は著作権法で認められた場合を除き、禁じられています。また、本書を代行業者等に依頼してスキャンやデジタル化することは、いかなる場合でも認められておりません。
※落丁・乱丁本の場合は弊社制作管理部（☎03-3520-9626）へご連絡下さい。送料弊社負担にてお取り替えいたします。

PHP文庫好評既刊

英会話「1日1パターン」レッスン

驚くほど話せるようになる！

デイビッド・セイン 著

英語で暗記すべきは単語ではなく「文型＝パターン」！これさえ覚えれば大抵のことは英語で表現できるようになるという50文型を厳選紹介！

定価 本体五九〇円
（税別）